中华人民共和国法律释义丛书
全国人民代表大会法制工作委员会　编

# 中华人民共和国
# 村民委员会组织法释义


主　编：李　飞（全国人大常委会法制工作委员会副主任）

副主编：武　增（全国人大常委会法制工作委员会国家法室副主任）

孙镇平（全国人大常委会法制工作委员会国家法室副主任）


法律出版社

**图书在版编目(CIP)数据**

中华人民共和国村民委员会组织法释义 / 全国人大常委会法制工作委员会编. -- 北京 : 法律出版社，2010.12(2018.11 重印)
(中华人民共和国法律释义)
ISBN 978-7-5118-1516-3

Ⅰ. ①中… Ⅱ. ①全… Ⅲ. ①村民委员会组织法-法律解释-中国 Ⅳ. ①D921.115

中国版本图书馆 CIP 数据核字(2010)第 232754 号

**中华人民共和国村民委员会组织法释义**
**ZHONGHUA RENMIN GONGHEGUO CUNMIN WEIYUANHUI ZUZHIFA SHIYI**

全国人大常委会法制工作委员会 编

责任编辑 麦 锐
装帧设计 李 瞻

**出版** 法律出版社
**总发行** 中国法律图书有限公司
**经销** 新华书店
**印刷** 北京玺诚印务有限公司
**责任印制** 吕亚莉

**编辑统筹** 法规出版分社
**开本** 850 毫米×1168 毫米 1/32
**印张** 7.25
**字数** 160 千
**版本** 2010 年 12 月第 1 版
**印次** 2018 年 11 月第 2 次印刷

法律出版社/北京市丰台区莲花池西里 7 号(100073)
网址/www.lawpress.com.cn
投稿邮箱/info@lawpress.com.cn
举报维权邮箱/jbwq@lawpress.com.cn
销售热线/010-83938336
咨询电话/010-63939796

中国法律图书有限公司/北京市丰台区莲花池西里 7 号(100073)
全国各地中法图分、子公司销售电话:
统一销售客服/400-660-6393
第一法律书店/010-83938334/8335　西安分公司/029-85330678　重庆分公司/023-67453036
上海分公司/021-62071639/1636　深圳分公司/0755-83072995

**书号**:ISBN 978-7-5118-1516-3　**定价**:36.00 元

# 总　序

人类文明的历史上，还没有哪一个时代像中国的改革开放40年一样，在历史长河中掀起如此巨大的浪花——它不仅深刻改变了一个国家的面貌与精神气质、使数亿人摆脱贫困，还极大地改变了世界格局。

1978，在那一年的年底，中共中央一次全体会议——十一届三中全会扭转了中国的前进方向，开辟了一个时代。回首过去，我们发现，一些观念从那时开始在中国出现，一些声音从那时开始逐渐响起，一些人物开始登上历史舞台。从这一年开始，随着“加强社会主义民主，健全社会主义法制”历史性任务的提出，“法制”两个字进入了人们的视野；政法机关开始恢复重建；法律院系开始蓬勃发展。一部部法律从庙堂走进了人们的生活，一次次裁决推动着国家前进的脚步。从“有法可依、有法必依、执法必严、违法必究”到“科学立法、严格执法、公正司法、全民守法”；从“法制”到“法治”；从法治观念的形成到“依法治国，建设社会主义法治国家”写进宪法，再到“法治国家、法治政府、法治社会一体建设”，人们对法治的认识步步深入，中国的改革不断向前推进，结出丰硕的果实。在中国共产党的带领下，这个励精图治的古老国度，再一次创造了改革的奇迹。

40 年发生了无数故事,40 年产生了许多事物。为了纪念这难忘的 40 年,本社组织编辑出版了一批"纪念改革开放 40 周年"主题图书。这些图书,将 40 年来颁布的重要法律及其释义甄选汇集,将法学领域有代表性的学术论文萃取精编,把有关政法机关的重建、法律院系的重生与发展进行展现,将一批被时代改变命运的人物再次唤起。我们希望从法律与法律人的视角,重新审视过去的 40 年,认真体会这不平凡的 40 年。

如江河东下,逝者如斯。岁月总会过去,人事总有代谢,但一个不平凡的时代留下的深刻痕迹,永远不会磨灭。"不忘初心,牢记使命",习近平总书记在党的十九大报告中向全党发出的号召,使我们有理由期待,下一个 40 年,中国将更加惊艳!

法律出版社编辑委员会

2018 年 10 月

# 出 版 前 言

《中华人民共和国法律释义丛书》是由全国人大常委会法制工作委员会组织编辑的一套系列丛书。

该套丛书由一系列法律释义组成。邀请有关专家、学者和部分参与立法的同志编著。该丛书坚持以准确地反映立法宗旨和法律条款内容为最基本要求,在每部法律释义中努力做到观点的权威性和内容解释的准确性。

我们相信,该套丛书的陆续出版,将会给广大读者进一步学好法律提供有益的帮助。

# 重印说明

本次重印，是为改革开放40周年制作的特别纪念版，为了保持内容原貌，未对正文和附录作实质修改。个别法条内容有修订或修正的，以脚注形式作了标注。特此说明。

2018年10月

# 目 录

## 第一部分 释 义

## 第二部分　附　录

# 第一部分　释　　义

## 第一章　总　　则

**第一条　为了保障农村村民实行自治，由村民依法办理自己的事情，发展农村基层民主，维护村民的合法权益，促进社会主义新农村建设，根据宪法，制定本法。**

**【释义】**　本条是关于本法立法宗旨和依据的规定。

一、村民委员会的产生及其立法过程

村民委员会是在农村人民公社进行政社分开、建立乡政权的过程中，在全国农村逐步建立起来的。农村实行家庭承包经营等责任制形式后，对以三级所有、队为基础的人民公社体制进行改革。在改革过程中，在原来生产大队、有的在生产小队的基础上建立了村民委员会。它最早出现在广西壮族自治区和江苏省的一些地方。在广西，1981 年全部实行生产责任制后，充分调动了广大农民的积极性，农业连续获得了大丰收。但是，农村新的生产经营方式出现后，农村中既有基层社会行政管理职能，又有经济管理职能的生产大队和生产队，不适应新的形势。一些生产大队、生产小队领导班子处于瘫痪或半瘫痪状态。集体的农具坏了无人修理，村里的公共事务和公益事业无人管。特别是社会治安状况不好，农民非常不满意，迫切需要有一个新的组织形式来管理本村的事务。在这种情况下，一种新的农村基层组织应运而生。最初，这种组织形式在有的地方叫“村治安领导小组”，有的叫“村管理委员会”。“村民委员会”这个称谓最早于1981年春出现在广西罗城县。

村民委员会这一新生事物诞生后，立即显示出其强大的生命力，受到肯定和支持。1982年中共中央第36号文件批示：各地要有计划地进行建立村民（乡民）委员会的试点。同年12月，第五届全国人大第五次会议通过的现行宪法，把村民委员会和城市居民委员会一起，以根本法的形式作了肯定。

根据宪法的规定，1986年10月，国务院向全国人大常委会提出了村民委员会组织条例草案。六届全国人大常委会第十九次、二十次会议进行了审议，考虑到村民委员会组织条例是一部涉及亿万农民的重要法律，决定提请全国人大审议通过。1987年3月25日，六届全国人大五次会议召开，在随后审议村民委员会组织法草案过程中，不少代表反映了当时农村的实际问题和基层工作的困难，认为村民自治中有些问题还需要进一步调查研究，建议修改后试行。因此，大会原则通过草案，并授权全国人大常委会根据宪法规定的原则，参照大会审议中代表提出的意见，进一步总结经验，审议修改后颁布试行。在这次会议上，将村民委员会组织条例草案改为村民委员会组织法草案。1987年11月，六届全国人大常委会第二十三次会议，根据全国人大的授权，审议通过了《中华人民共和国村民委员会组织法（试行）》，自1988年6月1日起试行。村民委员会组织法试行后，对于扩大基层直接民主，保证农村基层群众直接行使民主权利，改善干群关系，维护农村社会的稳定，发挥了重要作用。实践证明，试行法确定的方向、基本原则和制度是正确的，试行期间取得了很好的成效。在试行过程中，广大农民群众创造出了很多很好的经验和做法，如“海选”村民委员会成员、村务公开、村民会议和村民代表会议等。同时，社会主义民主政治建设的进一步发展，要求进一步完善村民自治制度。九届全国人大常委会总结村民自治的实践经验，根据党的十五大和十五届三中全会的精神，坚持试行法确定的原则和方向，于 1998 年 11 月 4 日修订通过了《中华人民共和国村民委员会组织法》，自公布之日起施行。村民委员会组织法颁布实施以来，对推进以民主选举、民主决策、民主管理和民主监督为主要内容的村民自治发挥了重要作用，村民自治制度已经发展成为中国特色的社会主义民主政治的重要组成部分。随着农村经济社会的发展，特别是城乡户籍制度、农村税费制度改革的深化，在实行村民自治中也遇到一些新情况和问题，有必要在总结实践经验的基础上，进一步修订完善村民委员会组织法。2010 年 10 月 28 日，十一届全国人大常委会第十七次会议修订通过了村民委员会组织法，自公布之日起施行。

二、本法的立法宗旨和目的

立法宗旨是制定法律的出发点、所要实现的目的、致力解决的问题等，是立法指导思想的重要体现，对于立法定位、重大问题的决策、统一不同认识等具有重要作用。制定村民委员会组织法的宗旨和目的是：

1. 保障农村村民实行自治，由村民依法办理自己的事情，发展农村基层民主，维护村民合法权益

在农村实行村民自治，是中国共产党领导亿万农民建设有中国特色社会主义民主政治的伟大创造。按照宪法，在农村建立基层群众性自治组织村民委员会，实行基层群众自治，是我国社会主义民主政治的一项重要制度，是人民当家做主的一个重要方面。广大农民通过民主选举、民主决策、民主管理和民主监督，实行村民自治，做到自我管理、自我服务和自我教育。农村的民主政治建设搞好了，对整个国家的民主建设必将产生巨大的推动作用。农村村民自治推行以来，取得了巨大的成绩。但是，由于我国有几千年的封建传统，农村经济、文化发展水平还比较落后，农民的民主

意识还有待提高,还有一些农村干部对农村村民自治的认识不够,农村村民自治在有些地方执行得还不尽如人意。因此,要进一步健全和完善村民自治制度,保障村民自治,发展农村基层直接民主,维护村民的合法权益。村民委员会组织法从试行到正式制定颁布,到这次修订,每次都在民主选举、民主决策、民主管理和民主监督方面,有进一步的修改完善,成为村民自治的保障法。

2. 促进社会主义新农村建设

村民委员会组织法试行和1998年颁布的村民委员会组织法,都将立法目的规定为促进农村社会主义物质文明和精神文明建设。2010年修订村民委员会组织法,根据我国农村经济社会发展的实际需要,将其修改为促进农村社会主义新农村建设。两者的精神和内容是一致的,但新的规定更具有时代感,更突出地反映了我国农村建设的主题,更具有针对性。我国是一个农业大国,农业、农村和农民问题是关系到建设和改革全局的重大问题。改革开放以来,我国经济社会快速发展,农村面貌发生了可喜的变化,但相对城市来说,农村经济文化仍然比较落后,建设和发展的任务十分突出。因此,建设社会主义新农村作为一项战略任务被确定下来。社会主义新农村建设,就是要按照“生产发展、生活宽裕、乡风文明、村容整洁、管理民主”的要求,协调推进农村经济建设、政治建设、文化建设、社会建设和党的建设,把农村建设成为经济繁荣、设施完善、环境优美、文明和谐的社会主义新农村。在农村开展村民自治,由村民群众依法办理自己的事情,创造自己的幸福生活,是社会主义民主最广泛的实践,可以极大地调动广大农民的积极性和创造性,充分发挥他们的聪明才智,促进农村各项建设事业的发展。

三、本法的立法依据

宪法是国家的根本法,是中国特色社会主义法律体系的统帅、核心和基础，是一切立法活动的根据。一切法律、行政法规和地方性法规都不得同宪法相抵触。从每部具体法律来说，除了以宪法确立的制度、原则作为立法依据外，还包括对所调整对象的具体规定。现行宪法总结我国基层群众自治的经验，以根本法的形式确立了基层群众自治制度。宪法第一百一十一条规定："城市和农村按居民居住地区设立的居民委员会或者村民委员会是基层群众性自治组织。居民委员会、村民委员会的主任、副主任和委员由居民选举。居民委员会、村民委员会同基层政权的相互关系由法律规定。""居民委员会、村民委员会设人民调解、治安保卫、公共卫生等委员会，办理本居住地区的公共事务和公益事业，调解民间纠纷，协助维护社会治安，并且向人民政府反映群众的意见、要求和提出建议。"宪法明确规定了村民委员会的性质、设立、组成人员的产生办法、机构设置、主要任务等重要问题，确立了基层群众自治的原则和方向。村民委员会组织法的任务就是以宪法为依据，总结实践经验，把宪法的规定具体化。在村民委员会组织法的立法过程中，有的人主张把村民委员会定为政权性质，将乡镇人民政府与村民委员会的关系定为领导关系，这些同宪法的规定都是不一致的，因此没有被采纳吸收。

**第二条　村民委员会是村民自我管理、自我教育、自我服务的基层群众性自治组织，实行民主选举、民主决策、民主管理、民主监督。**

**村民委员会办理本村的公共事务和公益事业，调解民间纠纷，协助维护社会治安，向人民政府反映村民的意见、要求和提出建议。**

**村民委员会向村民会议、村民代表会议负责并报告工作。**

**【释义】**　本条是关于村民委员会的自治性质、自治方式和主要任务的规定。

## 一、发展农村基层直接民主具有特殊意义

我国封建社会长达数千年,封建思想影响很深。一百年前沦为半殖民地半封建社会后,人民饱受帝国主义、封建主义和官僚资本主义三座大山的压迫,极少民主可言。可以说,旧中国没有给我们留下什么民主传统。在中国共产党领导下的革命战争时期,革命根据地内实行的是战时民主,当时的中心任务是摧毁反动派的统治,武装夺取政权,一切工作都要服务于战争,因此,相对于民主而言,集中势必多一点,民主的形式也还不完备。新中国成立后的30多年里,总的说来,对民主政治的建设不够重视。党的十一届三中全会总结新中国成立以来正反两方面的历史经验,特别是10年内乱的沉痛教训,在提出全党工作重点转移到经济建设上来的同时,着重提出了加强社会主义民主和法制建设的任务。在我国这样一个有着较长封建历史的国家发展民主,其基本路径是:一方面加强和完善人民代表大会制度,使人民通过民主选举产生代表,行使国家权力;另一方面就是发展直接民主,使人民通过各种途径和形式,直接参与管理国家事务、经济事务和社会事务。村民自治就是亿万农民群众在中国共产党领导下的伟大创举。

村是我国农村最基层的单位,是村民长期生产、居住、生活的单位,具有以下三个显著特点:一是生活共同体,一个村就是一个小社区,居住紧密相连,世代为邻,使用共同的生活设施,相互交往密切,村民们在社会生活中有着共同的利益和要求;二是生产共同体,村源自于农村人民公社的生产大队和生产小队,往往有着共同的集体土地和其他财产,相互间有着共同的经济利益和紧密的经济联系,包括在农业生产中的相互配合和合作等;三是文化共同体,同一个村落,在风俗习惯、文化传统、血脉传承等方面往往都有很大的共同点,是人们寻根问祖的基点。基于村落的上述三个显著特点,使得村民委员会不同于城市的居委会,发挥着更大的作用。

## 二、农村基层群众自治的功能与作用

我国农村普遍建立起来的村民委员会,有以下三个显著特点:一是基层性,是我国农村社会最基层的组织形态;二是群众性,不是一种政府组织,是村民为了能依法办理自己的事情,维护村民的合法权益而组织起来,主体是村民群众;三是自治性,村民委员会由村民选举产生,村内的重大事项由村民决定,办什么、不办什么,由村民说了算,而不是由基层人民政府决定。

村民选举产生村民委员会,开展基层群众自治,目的是实行自我管理、自我教育和自我服务。自我管理就是村民组织起来,自己管理自己,自己约束自己,自己办理自己的事务。它不同于行政管理和经济管理,具有以下几个特点:(1)自我管理依靠的是说服教育、村民之间的相互帮助、先进模范的带头作用以及每个村民的自觉意识,不靠国家强制力来保障;(2)管理人员和被管理者是统一的。村务管理首要的和基本的是全体村民来管理。日常事务的管理者由村民选举产生,并接受每个村民群众的监督;(3)管理的方式主要是通过村民会议集中全体村民的意见,制定村民自治章程、村规民约,由全体村民遵守执行,从而形成良好的社区秩序;(4)管理的内容主要是与村民利益密切相关的公共事务,调解解决本居住地区内的各种纠纷,如村民之间、邻里之间、村民与集体之间的纠纷等。

自我教育就是通过开展村民自治活动,使村民受到各种教育。在这种自我教育中,教育者和被教育者是统一的。每个村民既是教育者,又是受教育者,每个村民通过自己的行为影响其他村民,主要担当教育任务的村民委员会组成人员也来自于村民。自治活动与教育是统一的。村民进行各种形式的自治活动,本身就是对村民进行的丰富多彩的教育。村民通过行使选举权和被选举权,参加村民会议,监督村民委员会的工作,受到社会主义民主的教育,从而在实践中认识民主、学习民主、习惯于按民主的原则和程序办事。村民通过制定和遵守村民自治章程和村规民约，受到社会主义法制和道德的教育。通过发展文化教育、普及科技知识、开展移风易俗、破除封建迷信等活动，提高村民的文化素养。

自我服务在基层群众自治中具有重要作用，有利于增强自治的吸引力和凝聚力，团结村民开展自治。自我服务的特点是：服务项目根据村民需要确定，重大项目由村民会议讨论决定；所需费用和资金由村民自己筹集；村民一起动手，共同兴办，村民委员会负责组织协调。自我服务的内容主要有两个方面：一是生活服务。也就是办理本村的公共事务和公益事业，如修桥铺路，兴办托儿所、敬老院，发展教育，开展公共卫生，举办群众性的文化娱乐活动等。它对于解除村民的后顾之忧，集中精力搞生产，丰富村民的物质文化生活，充分发挥社会主义制度的优越性具有重要作用。二是生产服务。我国农村实行以家庭承包经营为基础、统分结合的双层经营体制后，开展生产服务十分必要。生产服务包括产前产中产后服务，如播种、灌溉、植保、收割、销售等。它可以大大提高生产效率，促进农村的生产建设。

自我管理、自我教育和自我服务三项内容，是紧密联系、相辅相成、不可分割的。自我管理本身就是一种自我教育，自我教育又推动自我管理，自我服务增强自治的吸引力和凝聚力，为自我管理和自我教育创造条件。

### 三、村民自治的基本途径

农村基层群众自治实行以来，亿万农民在实践中成功地探索出了一条实现村民自治的基本途径，这就是民主选举、民主决策、民主管理和民主监督。

民主选举是指村民委员会的主任、副主任和委员由民主选举产生，任何组织或者个人不得指定、委派村民委员会成员。选举实行公平、公正和公开的原则。凡是本村年满十八周岁的村民，只要享有政治权利,都有选举权和被选举权。候选人由本村有选举权的村民直接提名,并且应当多于应选名额,实行差额选举。选举实行无记名投票、公开计票的方法,选举结果当场公布。村民委员会每届任期三年,按期进行换届选举。实行民主选举,有利于把群众拥护的思想好、作风正、有文化、有本领、真心实意为群众办事的人选进村民委员会,加强村民委员会的建设。

民主决策是指涉及村民切身利益的事项,必须由村民民主讨论,按多数人的意见作出决定。村民议事的基本形式是由本村十八周岁以上的村民组成的村民会议。村民会议由村民委员会召集,有十分之一以上的村民提议,应当召集会议。召集村民会议,应当提前十天通知村民。召开村民会议,应当有本村十八周岁以上村民的过半数参加,或者有本村三分之二以上的户的代表参加,所作决定应当经到会人员的过半数通过。人数较多或者居住分散的村,召开村民会议有困难的,可以推选产生村民代表,由村民委员会召集村民代表开会,讨论决定村民会议授权的事项。对于涉及村民切身利益的事项,必须由村民会议讨论决定方可办理。

民主管理是指对村内的社会事务、经济事务、社会治安等的管理,要遵循村民的意见,在管理过程中吸收村民参加,并认真听取村民的不同意见。根据宪法、法律和法规以及国家政策,结合本村实际情况,由村民会议制定村民自治章程和村规民约,把村民的权利和义务,村级各类组织之间的关系和工作程序,以及经济管理、社会治安、村风民俗、婚姻家庭、计划生育等方面的要求,规定得清清楚楚,明明白白,据此进行管理。同时,村民委员会在对村内事务进行管理时,要坚持走群众路线,充分发扬民主,认真听取不同意见,坚持说服教育,不得强迫命令,不得打击报复。

民主监督是指由村民对村民委员会的工作和村内的各项事务实行民主监督。主要体现在以下几个方面:(1)村民委员会接受村民监督,本村五分之一以上的村民联名,或者三分之一以上的村民代表联名，可以要求罢免村民委员会成员。(2)村民委员会向村民会议负责并报告工作，村民会议每年审议村民委员会的工作报告，有权撤销或者变更村民委员会不适当的决定，有权撤销或者变更村民代表会议不适当的决定。每年评议村民委员会成员的工作及其履职情况，经村民民主评议，连续两次被评议不称职的，其职务终止。(3)村民委员会实行村务公开制度。村民委员会对于应当由村民会议、村民代表会议讨论决定的事项及其实施情况；国家计划生育政策的落实方案；政府拨付和接受社会捐赠的救灾救助、补贴补助等资金、物资的管理使用情况；村民委员会协助人民政府开展工作的情况，以及涉及本村村民利益、村民普遍关心的其他事项，应当及时公布。一般事项至少每季度公布一次，集体财务往来较多的，财务收支情况应当每月公布一次；涉及村民利益的重大事项应当随时公布。村民委员会应当保证公布内容的真实性，并有义务接受村民的查询。

## 四、村民委员会的基本任务

村民委员会的任务可以分为两大块：一块是宪法规定的开展村民自治的基本任务；另一块是作为基层群众组织，与基层人民政府、与集体经济组织发生关系而承担的任务。其开展村民自治的基本任务是以下四个方面：

1. 办理本居住地区的公共事务和公益事业。公共事务是指与本村全体村民生产和生活直接相关的事务，公益事业是指本村的公共福利事业。两者有所不同，但又不可截然分开。在实际工作中，村民委员会兴办的公共事务和公益事业主要有修桥建路、修建码头、兴修水利，兴办学校、幼儿园、托儿所、敬老院，植树造林、整理村容、美化环境，扶助贫困、救助灾害等。村民委员会办理公共事务和公益事业要坚持以下三项原则：第一，着眼于解决村民生产和生活中存在的实际困难。在实际生活中，虽然各地发展水平不同，村民需求不同，但难免存在这样那样的不便，如行路难、吃水难、小孩入学入托难、老人照看难等。兴办公共事务和公益事业要从村民的实际需要和困难中选取项目，想村民之所想，急村民之所急。只有如此，才会受到村民的欢迎，取得事半功倍的效果。第二，实事求是，量力而行。总的来说，我国农村多数地方还不发达，需要办理的公共事务和公益事业很多，但经济能力有限。这就需要从本村的实际情况出发，根据本村村民的生产、生活和经济发展的需要，考虑本村经济和村民的承受能力，决定办理的事项。绝不可好大喜功，贪大求全，盲目上项目，加重农民负担。否则，就会造成办不了也办不好的局面，发挥不了应有的作用，浪费人力、财力、物力，挫伤群众的积极性。第三，坚持民主自愿。按照民主集中制的原则，由村民决定要办什么，不办什么，先办什么，后办什么。经过充分发扬民主，由村民讨论决定的事情，村民就会自觉自愿、同心协力去办，遇到困难也容易解决。要坚决制止强迫命令、违背群众意愿的好大喜功的做法。

2. 调解民间纠纷。调解民间纠纷是村民委员会的一项重要的经常性工作。这项工作主要由村民委员会下设的调解委员会或由分管调解工作的村民委员会成员完成。在日常生活中，由于各种利益的冲突，邻里之间、家庭内部、村民之间，不可避免地会发生一些纠纷。如婚姻、家庭、继承、房屋、财产、借贷、宅基地、买卖、委托、保管、水利、土地、山林、损害赔偿等纠纷，还有一些轻微违法的刑事纠纷。村民之间发生的这些纠纷，并不是根本利益的对立和冲突，往往是因为某种局部或者暂时的利益引起的纠纷，但如不及时调解，或者调解不当，就会引起矛盾的激化，发生刑事案件。在实际中，因为一些小的纠纷而引起的斗殴、凶杀、放火、投毒等恶性案件的事例，并不鲜见。因此，及时调解和妥善处理民间纠纷是非常重要的。由于民间纠纷是大量的，单靠司法机关处理难以及时解决，有些纠纷也不宜由司法机关去解决。村民委员会是村民自己选举产生的，受到村民的信赖，在村民中享有威信；并且对本村的情况和人际关系比较熟悉，有条件及时调解和解决纠纷，制止矛盾的发展，避免矛盾的激化。村民委员会调解民间纠纷，要坚持以下原则：第一，依法调解。依照法律、法规、规章和政策进行调解，是正确处理民间纠纷的根本保证。民间纠纷双方当事人对纠纷的是非曲直各有自己的看法和认识，如何来衡量和判断？这就是法律、法规、规章和政策。只有以事实为根据、法律为准绳，才能明辨是非，据此作出的调解才能令人口服心服，使双方当事人接受。对于没有上述规定的，可依据社会公德进行调解。第二，在双方当事人自愿平等的基础上进行调解。要在查明事实、分清是非的基础上，讲道理、论利害，晓之以理、动之以情，充分说理，耐心疏导，帮助当事人消除隔阂，互相让步，达成协议。不论纠纷如何解决，都必须出于双方当事人的自觉自愿。切不可在双方当事人思想不通，未取得谅解的情况下，勉强达成协议，这样也容易出现反复。第三，尊重当事人的诉讼权利，不得把调解作为起诉的必经程序，以未经调解或者调解不成而阻止当事人向人民法院起诉，侵犯公民享有的诉讼权利。对于经过反复调解达不成协议的，可以告知当事人向人民法院起诉。

3. 协助维护社会治安。在我国，维护社会治安，保证人民的生命财产安全，维护正常的社会秩序和经济秩序，是公安机关的一项重要职责。但是，在我们这样一个人口众多、地域辽阔的大国，仅靠公安机关来维护社会治安是不够的，必须动员和组织广大人民群众参加社会治安工作。因此，法律赋予村民委员会协助人民政府维护社会治安的任务。村民委员会的这一任务主要是通过下设的治安保卫委员会或由分管治安保卫工作的村民委员会成员来完成的。村民委员会协助维护社会治安，要做好以下几项工作：第一，加强治安防范工作，最大限度地减少犯罪的发生，就必须实行“防打结合，以防为主”的方针。只有大力抓好预防工作，才能减少犯罪,更好地维护社会秩序。第二,广泛开展法制宣传和教育工作,培养村民的法律意识和法制观念,使村民懂得国家的法律允许做什么,禁止做什么;哪些行为是正当的,哪些行为是违法的。第三,深入开展社会治安综合治理工作。协助有关部门,对被依法剥夺政治权利的村民进行教育、帮助和监督。做好教育、感化和挽救失足青少年的工作。同时,要培养村民的社会正义感,敢于同违法犯罪现象作斗争,让人人都来参与维护社会治安。

4. 向人民政府反映村民的意见、要求和提出建议。村民委员会是村民同人民政府之间联系的纽带和桥梁。村民委员会来自于村民,活动在村民之中,熟悉情况,了解群众的意愿和心声。如村民在生产、生活上有什么要求和困难,需要给予什么样的支持和帮助,对政府及其工作人员有什么意见等,由村民委员会反映村民的意见、要求和建议,可以集中各方面的意见,比较容易引起重视,使问题得到解决,也可以解决有些村民文化水平低,不知道如何反映意见的问题。通过反映村民的意见、要求和提出建议,使上下沟通,下情上达,可以使人民政府及时发现、研究和解决村民在生产生活中存在的各种问题;使各级政府的工作都建立在充分了解下情的基础上,避免决策失误;可以加强对各级国家机关和国家工作人员的监督,及时发现问题,克服缺点、错误;可以及时发现国家工作人员中的违法失职行为,使违法行为得到及时处理,加强廉政建设;更重要的是可以吸引亿万农民关心国家大事,密切人民政府同广大群众的联系,广泛调动他们的积极性。村民委员会反映意见、建议和要求,主要是向乡、镇人民政府,但又不限于乡、镇人民政府,还可以向县以及县级以上的各级人民政府反映意见和要求。

### 五、村民委员会与村民会议、村民代表会议的关系

从国家来说,人民是国家的主人,国家的一切权力属于人民,人民行使国家权力的机关是全国人大和地方各级人大,人民通过

民主选举代表,组成国家权力机关,行使国家权力。就村民自治来说,村民自治的主体是村民群众,村民自治权来源于村民。其具体体现就是本村成年村民组成村民会议,是村民实行自治的权力机构;村民委员会由村民直接选举产生,是村民实行自治的执行机构和工作机构,二者是自治的权力机构与执行机构和工作机构的关系。这种关系具体体现在:一是村民委员会执行村民会议、村民代表会议的决定。重要问题由村民会议决定,而不是由村民委员会决定。对于涉及全村村民利益的事项,村民委员会必须提请村民会议或村民代表会议讨论决定,村民会议或村民代表会议讨论决定后,由村民委员会贯彻执行。二是村民委员会向村民会议、村民代表会议负责并报告工作。村民委员会的权力来源于村民会议,是村民实行自治的执行机构和工作机构,是村民通过村民会议实现其意志和利益的组织者。村民委员会及其下属任何机构的权力,都不能超过村民会议。村民委员会的每一位干部都有义务向村民会议、村民代表会议如实报告工作情况,从而使村民委员会的一切工作和活动都对村民会议或村民代表会议负责,接受村民会议、村民代表会议的监督。村民会议或村民代表会议每年审议村民委员会的工作报告,并评议村民委员会成员的工作,这是村民会议、村民代表会议的重要职权之一,是村民委员会向村民会议、村民代表会议负责的具体体现,也是村民行使自治权利的体现。

真正实现村民自治,就要树立村民会议、村民代表会议的权威性,落实村民委员会向村民会议、村民代表会议负责并报告工作的要求:一是要保证村民会议、村民代表会议按时召开,保证应当由村民会议或村民代表会议讨论决定的事项,都提交村民会议或村民代表会议讨论决定;二是村民群众应当积极参加村民会议或村民代表会议,形成村民民主议事决策的良好氛围,在实际中,有些地方因村民参与不积极,村民会议召集困难,使村民会议、村民代表会议虚置;三是村民委员会及其下属机构必须认真执行村民会议、村民代表会议的决定，积极主动向村民会议、村民代表会议报告工作，接受村民会议的监督。

**第三条 村民委员会根据村民居住状况、人口多少，按照便于群众自治，有利于经济发展和社会管理的原则设立。**

**村民委员会的设立、撤销、范围调整，由乡、民族乡、镇的人民政府提出，经村民会议讨论同意，报县级人民政府批准。**

**村民委员会可以根据村民居住状况、集体土地所有权关系等分设若干村民小组。**

**【释义】** 本条是关于村民委员会设立的原则和决定程序的规定。

一、村级组织设置的历史沿革

新中国成立初期，我国在部分农村地区，在乡镇之下设立村一级行政管理机构，管理范围一般以一个较大的自然村为主结合几个自然村组成，通常把这种村称为行政村，1954 年后撤销。农村实行人民公社制度后，建立了三级所有、队为基础的三级组织管理体系，即人民公社、大队和小队三级。农村实行政社分开，建立乡政权，有的在原来生产大队的基础上建立村民委员会，有的则以自然村为基础建立村民委员会。1987 年制定颁布村民委员会组织法(试行)，考虑自然村是历史上长期以来形成的一个基本社会单位，有独立的名称，一个自然村的村民长久居住在一起、生活在一起、劳动在一起，彼此熟悉了解，有共同的利益和要求，便于办理公共事务和公益事业，也便于充分发扬民主，实行村民自治，因此规定村民委员会一般设在自然村。同时为了兼顾各地自然村大小规模不同的情况，又规定几个自然村可以联合设立村民委员会，大的自然村可以设立几个村民委员会。1998 年修订时，全国总共有 90 多万个村民委员会，一些同志提出，大部分地区的村民委员会没有设在自然村，而是若干个自然村设立一个村民委员会，上述规定与现实情况不符。根据上述意见，为保持农村基层组织的稳定，立法中删去了一般设在自然村的规定。1998 年村民委员会组织法颁布来以，随着城镇化的发展，有些村民委员会改为居委会；还有些村民委员会进行了撤并，规模又有所扩大。到 2008 年，全国共有 604285 个，其中村民 1000 户以下的 462251 个，村民 1000 至 3000 户的 119622 个，村民 3000 户以上的 22412 个。村民小组 480.9 万个，村民委员会成员 233.9 万人。2010 年修订村民委员会组织法，在原来便于群众自治的原则的基础上，增加了还要有利于经济发展和社会管理的原则。同时，将其他条文中关于村民小组的设立，移入本条一并规定，并增加设立村民小组要考虑集体土地所有权关系。

## 二、村民委员会的设立原则

设立村民委员会，就是在一定的地域范围和人口规模的基础上建立村民委员会，由村民群众实行自治。其实质是村民自治的地域范围大小和人口多少。村民委员会的设立，要考虑以下三个原则：

一是便于群众自治的原则，这也是首要的原则。适度的村民委员会规模，有利于开展村民自治，容易取得比较好的成效。如果村民委员会设置规模过大，村民之间难以相互了解，召集会议比较困难，不利于村民集体讨论决定问题，村民自治就会受到影响。相反，村民委员会的设置规模过小，聚集不起一定的人力、物力、财力，农村集体经济发展不起来，同样也会削弱村民自治。因此，村民委员会的设置必须适宜，不能过大，也不能过小，衡量标准就是看是否便于村民自治。便于群众自治是决定村民委员会设置所应遵循的一项基本原则。

二是有利于经济发展，使村民委员会的设立适应经济发展的要求，而不是阻碍甚至破坏经济的发展。我国农村的村，除了是村民生活的共同体外，还是经济共同体，特别是村是在农村集体经济组织生产大队和生产小队的基础上设立的，有共同的村农民集体所有的土地和其他财产，多数村的社会自治事务与经济事务管理是合一的。从目前的调查统计来看，除了40%的村另设有集体经济组织，管理本村集体所有的土地和其他财产外，其他60%的村都是由村民委员会代表村农民集体进行管理。因此，村民委员会的设立，对集体经济的发展和促进有着密切的关系。通过合理组织，有效地发扬民主、发展经济，使群众逐步走上富裕的道路，是实行群众自治的根本目的。如果村民委员会的规模设置不是促进而是破坏经济的发展，也就违背了群众自治的原则。因此，有的集体经济很发达，有一定的经济实力，虽然规模偏大，但分开会造成集体经济的破坏，群众又不愿意分开的，则可以不分。相反，有的村民委员会规模太大，集体经济又不发达，分开对集体经济发展不会造成什么影响，而且更有利于集体经济的发展，群众又愿意分开的，就应当分开。一般来说，经济比较发达的地方，交通和通讯等往往也比较发达，实行群众自治的条件比较好，村民委员会的规模可以相对大一些。经济不发达、交通和通讯不方便的地方，村民委员会的规模就应当小一些。

三是有利于社会管理。村同时也是农村社会管理的基本单位。随着经济社会的发展，城镇化的快速推进，新农村建设的发展，农村村民的居住状况和居住分布已经或者正在发生巨大变化。一方面村民居住向集中化方向发展，交通通信、生活设施等不断改善配套；另一方面城乡居民的居住状况相互交织日益明显，特别是在一些城郊结合部，表现得更为突出。这种新的发展变化，要求村民委员会的设立，还要考虑便于社会管理。

三、村民委员会设立的依据是村民居住状况、人口多少

我国幅员辽阔，农村的社会经济发展程度不平衡，村民的居住

状况因地区的不同而不同，平原地区与山区、沿海地区与内地、南方与北方各有不同。因此，设立村民委员会时，要把区域和人口结合起来考虑。聚居的，人口多、地域不大的地方，可以单独设立一个村民委员会；人口多，地域又大的，可以划分为几个村民委员会。散居的，地域大、有一定人口的，可以单独设一个村民委员会；地域大，但人口很少的，可以和临近的村联合成立一个村民委员会。总之，要做到区域与人口都能比较适中，以便于自治。

村民委员会的设立，除了依据村民居住状况和人口多少外，还可以适当参照历史习惯，就是要考虑历史形成的状况和村民的意愿。有的村虽然不大，但长期以来就是分成几片管理的，这样的村就不要硬捏到一起，设立一个村民委员会，而应当考虑历史习惯，根据村民的意愿，设立几个村民委员会。有的邻近的几个村，历史上就合在一起，相互之间有着千丝万缕的联系，有许多共同的利益和要求，虽然地域偏大，但不影响村民开展自治活动，村民又不愿意分开，就不要强行分开。尊重历史习惯，保持历史的连续性，不仅有利于发扬长期以来形成的各种优良传统，维护和巩固群众之间融洽和团结的关系，而且可以避免重新划分而引起的各种纠纷，保持基层社会生活的稳定局面。

## 四、村民委员会设立、撤销、范围调整的程序

村民委员会的设立、撤销、范围调整，直接涉及村民自治，应当由村民会议集体讨论同意，不能由村民委员会几个人说了算，也不能只由乡镇人民政府决定。其具体程序是：第一，乡镇人民政府提出方案。乡镇人民政府应当在深入调查研究、广泛听取村民群众意见的基础上，按照便于群众自治，有利于经济发展和社会管理的原则提出。村都是在长期的经济社会发展过程中形成的，兼顾了各方面的因素，因此乡镇人民政府提出方案应当十分慎重，不要随意撤销、合并村民委员会，或调整其范围，否则容易影响农村稳定。

第二，乡镇人民政府提出意见后，要经过村民会议讨论同意。要尊重村民的意愿，认真听取各种不同意见，真正按多数村民的意见办。因为村民委员会怎么设置更有利于村民自治，更有利于农村经济的发展，村民心里最清楚，最有发言权。村民委员会的设立、撤销、范围调整由村民会议集体讨论同意，不仅可以使村民委员会的设置更加合理，更加符合实际，而且可以激发村民参加自治活动的积极性，从而促进村民自治的发展。第三，为了统筹全局，做好协调工作，村民委员会的设立、撤销、范围调整的意见在经村民会议讨论同意后，要报县人民政府批准。

五、村民小组的设立

村民小组是村民自治共同体内部的一种组织形式，是自治的一个层次。由于一些地区的村民较多，或者是管辖范围较大，居住分散，为便于村民自治，按照有利生产、方便生活的原则，根据村民居住状况和集体土地所有权关系等，可将村民委员会所辖区域和村民划分为若干个村民小组。有的地区几个自然村联合设立一个村民委员会，每个自然村分别设立村民小组；有些大的自然村分设几个村民小组。村民小组可以分别由几户、十几户或几十户组成。村民小组人口较少，居住集中，互相熟悉，有了问题便于召开村民小组会议，讨论解决；有利于村民自我管理、自我教育、自我服务，直接行使自治权；可以使村民委员会的自治任务和工作计划通过各小组得到落实。

我国多数地区在原来的生产大队一级设村民委员会，在原来的生产队一级设村民小组。因此村民小组在管理集体经济方面有很重要的任务。根据物权法的规定，在村一级，我国农村集体土地所有权分为两种：一种属于村农民集体所有，由村集体经济组织或村民委员会代表集体行使所有权；另一种属于村内两个以上农民集体所有，由村内各该集体经济组织或者村民小组代表集体行使所有权。有的地方，村民小组还兴办了集体企业，也应由小组经营、管理，或由小组承包给村民经营。因此，村民小组的设立，要考虑集体土地所有权关系。

**第四条　中国共产党在农村的基层组织，按照中国共产党章程进行工作，发挥领导核心作用，领导和支持村民委员会行使职权；依照宪法和法律，支持和保障村民开展自治活动、直接行使民主权利。**

**【释义】**　本条是关于中国共产党在农村的基层组织与村民委员会关系的规定。

为了进一步明确党支部与村民委员会的关系，村民委员会组织法在这次修改中，在原条文的基础上，增加了党在农村的基层组织“领导和支持村民委员会行使职权”。这样，一方面从法律上确立了中国共产党在农村的基层组织，按照中国共产党章程进行工作，发挥领导核心作用；另一方面又明确规定基层党组织要“支持和保障村民开展自治活动、直接行使民主权利”。基层党组织的领导是多种多样的，主要是通过贯彻执行党的路线方针政策，对村务的重大事项提出建议意见，通过党员的模范带头、多为村民服务来体现它的领导作用，并不是党支部对村民委员会直接行使领导。

一、党在农村的基层组织，按照党章进行工作，发挥领导核心作用

本条规定，党在农村的基层组织按照党章进行工作。党章规定，党的领导主要是政治、思想和组织的领导。党要适应改革开放和社会主义现代化建设的要求，坚持科学执政、民主执政、依法执政，加强和改善党的领导。党必须按照总揽全局、协调各方的原则，在同级各种组织中发挥领导核心作用。党必须集中精力领导经济建设，组织、协调各方面的力量，同心协力，围绕经济建设开展

工作,促进经济社会全面发展。党必须实行民主的、科学的决策,制定和执行正确的路线、方针、政策,做好党的组织工作和宣传教育工作,发挥全体党员的先锋模范作用。党必须保证国家的立法、司法、行政机关,经济、文化组织和人民团体积极主动地、独立负责地、协调一致地工作。

党的基层组织包括党的基层委员会、总支部委员会、支部委员会。具体到农村来说,就是乡、镇党的基层委员会和村党支部。在较大的村,还建立了党委、党总支,但多数村设党支部。党章第三十一条规定,党的基层组织是党在社会基层组织中的战斗堡垒,是党的全部工作和战斗力的基础。它的基本任务有八个方面:(1)宣传和执行党的路线、方针、政策,宣传和执行党中央、上级组织和本组织的决议,充分发挥党员的先锋模范作用,团结、组织党内外的干部和群众,努力完成本单位所担负的任务;(2)组织党员认真学习马克思列宁主义、毛泽东思想、邓小平理论和“三个代表”重要思想,学习科学发展观,学习党的路线、方针、政策和决议,学习党的基本知识,学习科学、文化、法律和业务知识;(3)对党员进行教育、管理、监督和服务,提高党员素质,增强党性,严格党的组织生活,开展批评和自我批评,维护和执行党的纪律,监督党员切实履行义务,保障党员的权利不受侵犯。加强和改进流动党员管理;(4)密切联系群众,经常了解群众对党员、党的工作的批评和意见,维护群众的正当权利和利益,做好群众的思想政治工作;(5)充分发挥党员和群众的积极性创造性,发现、培养和推荐他们中间的优秀人才,鼓励和支持他们在改革开放和社会主义现代化建设中贡献自己的聪明才智;(6)对要求入党的积极分子进行教育和培养,做好经常性的发展党员工作,重视在生产、工作第一线和青年中发展党员;(7)监督党员干部和其他任何工作人员严格遵守国法政纪,严格遵守国家的财政经济法规和人事制度,不得侵占国家、集体和群众的利益;(8)教育党员和群众自觉抵制不良倾向，坚决同各种违法犯罪行为作斗争。

这八项任务是党章对基层组织的要求，党在农村的基层组织要紧紧围绕这八项任务来开展工作。党章第三十二条明确规定，街道、乡、镇党的基层委员会和村、社区党组织，领导本地区的工作，支持和保证行政组织、经济组织和群众自治组织充分行使职权。

党章的上述规定，已经清楚地明确了基层党组织的任务和活动准则。村党支部依照党章的规定，开展活动，支持和保障村民委员会行使职权。也就是说，实行村民自治，村党支部在农村中处于领导地位，发挥"核心作用"，对村民委员会进行政治、思想和组织领导，以多种方式实现领导核心地位。具体来说，就是要保障村民的选举权和被选举权，尊重村民的选举结果，不得撤换村民委员会成员；支持村民会议进行民主决策和民主管理，维护村民会议的权威；支持和组织村民开展民主监督，帮助完善各种监督制度；支持村民委员会开展工作，凡是属于村民委员会权限范围内的事项，由村民会议或者村民委员会自主决定；坚决同干扰、破坏村民自治活动的行为作斗争，维护村民的民主权利。

党的农村基层组织发挥领导核心作用，还要结合本地的实际情况，制定正确的决策，使基层群众自治组织和村民群众自觉自愿地接受；充分发挥党员的先锋模范作用，团结、组织党内外的干部和群众；做深入细致的思想政治工作，坚持说服教育；坚持群众路线，树立群众观点，为群众服务。只有如此，才会不脱离群众，受到群众的支持和拥护，真正发挥领导核心作用。

### 二、党在农村的基层组织，依照宪法和法律，支持和保障村民开展自治活动、直接行使民主权利

本条规定，农村基层党支部依照宪法和法律，支持和保障村民开展自治活动、直接行使民主权利，这是对党支部提出的原则要

求,党支部必须带头贯彻村民委员会组织法,支持村民委员会实行民主选举、民主决策、民主管理、民主监督。在实践中,各地村党支部依照宪法和法律的规定,创造性地开展工作,有很多好的经验和做法。如一些地方提出“四议一公开”工作法,“支部提议、两委商议、党员审议、村民决议,实施结果向全体村民公开”,就很好地解决了支部和村民委员会的关系。具体说就是,所有村里的重大事项由村党支部在广泛征求党员和村民意见的基础上提议,再由村“两委”联席会议商议、党员大会审议、村民代表会议或村民大会决议,决议和实施结果都要向全体村民公开。这一工作方法,把所有村级重大事项都置于村党支部的领导之下,要求村党支部把中央精神、上级要求和本村实际紧密结合起来,认真研究谋划村里发展的重大问题,着重解决关系群众切身利益的实际问题。村党支部提交村“两委”联席会议商议的村级重大事项,事先广泛征求村民、村民代表的意见、要求和建议,并由村党支部充分讨论、达成共识。村级重大事项通过村党支部提议,再由村“两委”联席会议商议、党员大会审议、村民代表会议或村民大会决议,这就保证了支部的领导核心地位,又保障了村民的自治权利。另外,村支部在村民自治的其他方面,都可以以自己的模范行为发挥带头作用,依照宪法和法律,来体现和实现“支持和保障村民开展自治活动、直接行使民主权利”。

此外,为了更好地体现党支部的领导核心作用,有些地方提倡村主任兼任党支部书记,实行“两委合一”,以更好地实现农民的民主权利。“两委合一”使党支部的产生直接受到农民意愿的制约,党支部的管理行为必然要发生积极的变化,农民的民主权利会因此得到更好的保障。2009 年 9 月 18 日,中国共产党第十七届中央委员会第四次全体会议通过的《中共中央关于加强和改进新形势下党的建设若干重大问题的决定》提出,符合条件的农村、社区、国有企业党组织书记,可以通过法定程序担任村民委员会主任、居委会主任、企业董事长。以明确责任、考核监督、保障服务为重点，加强对基层党组织领导班子管理。通过加强基层民主和基层组织建设，改进基层党组织的领导方式和工作方法，将党组织和村民自治组织的活动纳入法律制度的轨道。

**第五条　乡、民族乡、镇的人民政府对村民委员会的工作给予指导、支持和帮助，但是不得干预依法属于村民自治范围内的事项。**

**村民委员会协助乡、民族乡、镇的人民政府开展工作。**

**【释义】**　本条是关于乡镇人民政府与村民委员会关系的规定。

如何处理乡镇人民政府与村民委员会的关系，是村民委员会组织法立法中的一个重要问题。早在1987年制定村民委员会组织条例的时候，人们就有两种观点。一种观点认为，乡镇政府与村民委员会是领导关系，村民委员会是乡镇政府的下属机构，村民委员会是乡镇政府的“腿”和办事机构，乡镇政府可以直接指挥村民委员会做这个做那个，甚至可以撤换“不听话”的村民委员会成员。另一种观点认为，村民委员会与乡镇政府没有直接关系，村民委员会是村民选举出来的，是自治组织，实行“民主选举、民主决策、民主管理、民主监督”，如果规定乡、镇政府对村民委员会是领导关系，乡、镇政府就会把大量行政工作压给村民委员会，村民委员会很容易变成一级行政组织，也容易形成乡、镇政府代替村民委员会决定问题、任免村民委员会干部，不符合村民自治的性质。经过常委会审议、讨论研究，达成共识：村民委员会不是一级政权机构，也不是一级行政组织，而是由村民自己组织起来，在国家法律规定的范围内，进行自我管理、自我教育、自我服务的基层群众性自治组织。因此，乡镇人民政府与村民委员会的关系不是领导关系，而只能是指导关系。乡镇人民政府要在政策方针上、法律制度上和工作方法上对村民委员会给予指导，把村民委员会的建设作为一项重要工作来抓，同时要维护村民委员会是村民自治的法律地位。同时，村民委员会也要自觉地接受乡镇人民政府的指导和帮助。在实践中，乡镇政府大量的工作是通过村民委员会来完成的。这种工作上的联系和配合，在有的地方容易导致乡镇政府自觉不自觉地领导起村民委员会来。为了明确乡镇政府和村民委员会的关系，本条明确规定，乡、民族乡、镇的人民政府对村民委员会的工作给予指导、支持和帮助，但是不得干预依法属于村民自治范围内的事项。同时又规定，村民委员会协助乡、民族乡、镇的人民政府开展工作。

一、乡、镇人民政府对村民委员会的工作给予指导、支持和帮助

宪法规定，村民委员会是群众性自治组织，村民委员会同基层政权的相互关系由法律规定。宪法和地方组织法规定，省、直辖市、县、市、市辖区、乡、民族乡、镇设立人民代表大会和人民政府。地方各级人民政府是地方各级国家权力机关的执行机关，是地方各级国家行政机关。地方各级人民政府实行省长、市长、县长、区长、乡长、镇长负责制。在各级地方政府中，乡镇政府是我国的基层政权，国家大量的经济、政治、社会、文化职能是靠乡镇政府来实现的。村民委员会是农村基层群众自治组织，不是一级国家政权机关。村民委员会自治组织的自主性与相对独立性是村民自治的主要特征。村民委员会是村民自我管理、自我教育、自我服务的基层群众性自治组织，实行民主选举、民主决策、民主管理、民主监督。村民委员会办理本村的公共事务和公益事业，调解民间纠纷，协助维护社会治安，向人民政府反映村民的意见、要求和提出建议，支持和组织村民依法发展各种形式的合作经济和其他经济，承担本村生产的服务和协调工作，促进农村生产建设和社会主义市

场经济的发展,保障集体经济组织和村民、承包经营户、联户或者合伙的合法的财产权和其他合法的权利和利益,管理本村属于村农民集体所有的土地和其他财产,教育村民合理利用自然资源,保护和改善生态环境,宣传宪法、法律、法规和国家的政策,教育和推动村民履行法律规定的义务,爱护公共财产,维护村民的合法的权利和利益,发展文化教育,普及科技知识,促进村和村之间的团结、互助,开展多种形式的社会主义精神文明建设活动,教育和引导村民加强民族团结、互相尊重、互相帮助等,都需要政府的指导、支持和帮助。特别是取消农业税后,乡村办公经费以及干部补贴等部分或者全部都由政府承担,乡镇政府的支持和帮助更为重要。乡镇政府对村民委员会的工作给予指导、支持和帮助是一项法定职责,不能不给予指导、支持和帮助;同时,村民委员会也有义务接受乡镇政府的指导、支持和帮助,不能拒绝乡镇政府符合法律规定的指导、支持和帮助。

二、乡、镇人民政府不得干预依法属于村民自治范围内的事项

党的十七大报告把发展基层民主、保障人民享有更多更切实的民主权利作为坚定不移发展社会主义民主政治的一项重要任务,提出要健全基层党组织领导的充满活力的基层群众自治机制,扩大基层群众自治范围,完善民主管理制度,把城乡社区建设成为管理有序、服务完善、文明祥和的社会生活共同体。还提出要深化乡镇机构改革,加强基层政权建设,完善政务公开、村务公开等制度,实现政府行政管理与基层群众自治有效衔接和良性互动。村民委员会是我国实现高度社会主义民主的最基层的细胞,是人民实行直接民主的组织形式,是群众自己组织起来管理本居住地区政治、经济、文化的自治组织。这就要求乡镇人民政府在指导、支持和帮助村民委员会的同时,不得干预依法属于村民自治范围内的事项。依据村民委员会组织法的规定,村民自治范围内的事项

主要是村民民主选举、民主决策、民主管理、民主监督方面的事项。如村民委员会的选举、村民会议的召开、村民会议讨论决定的事项、村务公开、村民评议等，特别是不得指定、委派或者撤换村民委员会成员。凡依法属于自治范围内的事项，哪些要办、哪些不办，哪些先办、哪些后办，是这么办还是那么办，都应当由村民自己讨论决定，乡镇政府不得干预。所谓不得干预，就是对依法属于村民自治范围的事项，乡镇政府既不能强迫也不能包办，但可以指导，包括宣传、说明、解释、说服、动员等。乡镇人民政府要相信群众，依靠群众，真正认识到村民自治是中国特色社会主义的农村基层民主制度和农村治理的有效方式，放手让村民依法行使自治权，指导、支持和帮助村民群众依法搞好自治。要指出的是，本法第十七条、第二十一条、第二十七条、第三十一条规定的向乡镇人民政府举报和要求查处贿选，对村民委员会移交工作的监督、对村自治章程违法时的责令改正、村务公开方面的责令依法公布等，是法律赋予乡镇人民政府对村民委员会工作的指导和帮助的具体内容，村民委员会应当接受，不能认为是干预。

三、村民委员会协助乡、民族乡、镇的人民政府开展工作

由于历史的原因，我国农村基本上是按照原人民公社的区域来建立乡镇政府，按照原生产大队的区域设立村民委员会，一个乡一个镇一般有若干个村，甚至有几十个村，每个村的经济、政治、社会、文化等方面，有大量的事务要做，即使废除农业税，没有“三提五统”，农村的社会治安、民政、民族、文化、宣传、教育、卫生、计划生育等行政工作仍然很繁重，农村发展稳定的任务仍然是乡镇政府首先要考虑的大事。所有这些，没有村民委员会的协助，单靠乡镇人民政府，是难以做好的。村民委员会是基层群众性自治组织，不是乡镇政府的派出机关或者它的“腿”。因此，村民委员会不能代替政府行使职权，也不能包办政府事务。但是，由于公民有遵守

法律和服从政府管理的义务，因此，村民委员会作为群众性自治组织，也有责任协助政府开展工作，这也是自治的一项重要内容。村民委员会协助乡镇政府开展工作，是指协助与本村有关的、属于乡镇政府职责范围内的各项工作，包括环境与资源保护、土地管理、公共卫生、治安保卫、计划生育、优抚救济、灾害救助等。协助的主要形式是宣传、教育、动员、提供情况等，一般不直接办理。必要时，可以受乡镇政府的委托，代表乡镇政府办理有关政府事宜。村民委员会受委托办理的政府事宜，属于政府的具体行政行为，应由委托的乡镇政府承担责任。村民委员会协助人民政府开展工作，人民政府应当提供必要的条件，需要经费的，政府要承担所需要的经费。

# 第二章　村民委员会的组成和职责

**第六条　村民委员会由主任、副主任和委员共三至七人组成。**

**村民委员会成员中，应当有妇女成员，多民族村民居住的村应当有人数较少的民族的成员。**

**对村民委员会成员，根据工作情况，给予适当补贴。**

**【释义】**　本条是关于村民委员会组成、成员构成和补贴的规定。

一、村民委员会的组成

村民委员会作为基层群众性自治组织，为了完成所承担的各项任务，需要相应的组织机构和人员。本条规定，村民委员会由主任、副主任和委员共三至七人组成。从各地的情况看，这一规定比较符合我国农村的实际情况。村民委员会的成员既不宜过多，也不宜过少。村民委员会由多少人组成比较合适，主要应当考虑两个因素：一是便于自治，能够完成村民委员会作为自治组织的各项任务；二是要尽量减轻国家和农民的负担。之所以要对村民委员会成员的数量规定一个幅度，是由于我国农村地域辽阔，各地区经济、社会发展很不平衡，村的自然条件及村民的人口数量、居住状况差别也很大，相应地，村民委员会所承担的工作量也就不同。一般来说，村民委员会的人数，主要取决于：一是村民数量的多少；二是居住状况是分散还是集中；三是村经济发展水平的高低；四是村民委员会承担任务的轻重。村民委员会成员少的可以为三人，多的可以达到七人，但不能少于三人，也不能多于七人。具体人数，各地可以根据本地的实际情况予以确定。为了便于讨论决定问题，村民委员会成员应为单数。

二、村民委员会成员中，应当有妇女成员

宪法第四十八条规定:“中华人民共和国妇女在政治的、经济的、文化的、社会的和家庭的生活等各方面享有同男子平等的权利。”“国家保护妇女的权利和利益，实行男女同工同酬，培养和选拔妇女干部。”妇女权益保障法第二条规定，妇女在政治的、经济的、文化的、社会的和家庭的生活等各方面享有同男子平等的权利。为了体现宪法和法律的这一精神，本条第二款规定“村民委员会成员中，应当有妇女成员”。关于村民委员会中妇女成员，在审议中，有人提出，应当规定妇女成员的比例，或者规定至少要有一名妇女成员，经研究，认为村民委员会成员中应当有妇女成员，已经是明确的规定。妇女成员少的问题，主要是工作中的问题，应当通过细致的工作，把更多的妇女提名和选举为村民委员会成员。

为了保证村民委员会成员中有妇女成员，民政部在1999年已就“保证农村妇女在村民委员会成员中有适当名额”专门发出文件，要求进一步提高对农村妇女当选村民委员会成员重要性的认识。

文件指出，妇女是创造人类文明和推动社会发展的一支伟大力量。妇女的发展水平，妇女地位的提高，是社会发展的重要指标，也是衡量社会进步的尺度。在我国，妇女占农村人口的半数以上，她们日益成为村级事务管理的重要力量，成为农村两个文明建设的主力军。实践证明，妇女被选进村民委员会班子，不仅有利于妇女的发展和提高，也有利于村级事务管理，有利于做好农村各项工作。各级民政部门要充分认识农村妇女在两个文明建设中的巨大作用，自觉把妇女当选村民委员会成员、参与村级事务管理、提高妇女整体素质，作为全面推进村民自治工作的重要内容，切实抓紧抓好。

文件要求，今后凡进行村民委员会换届选举的地方，民政部门要与有关部门一道，大力宣传男女平等的思想观念，宣传妇女在村级事务管理中不可替代的作用。在推选村民选举委员会时,要引导村民会议或村民小组把符合条件的女村民吸收进去;在村民直接提名村民委员会成员候选人时,要引导村民提名符合条件的女村民,同时,积极鼓励农村妇女破除封建思想和世俗偏见,勇于挑重担,敢于接受竞争;在正式介绍候选人时,要引导村民选举委员会积极介绍女候选人的业绩,不得给予任何歧视和不公正待遇;在投票选举时,要组织、教育和引导广大村民尤其是农村妇女正确行使民主权利,把村民拥护的思想好、作风正、有文化、有本领、真心实意为群众办事的妇女,选进村民委员会领导班子。村民委员会缺额时,应首先补选女委员,或建议党委部门在村党支部内配备一名女干部。

文件要求,加强对农村已当选女村民委员会成员的培训,提高妇女干部的自身素质,巩固选举成果。积极吸收妇联组织参与指导农村村民委员会换届选举工作,认真听取意见和建议,不断改进工作。总之,村民委员会成员中,应当有妇女成员,这不仅是个法律问题,还与妇女地位的提高、参政意识的增强有直接关系。

### 三、多民族村民居住的村应当有人数较少的民族的成员

我国是统一的多民族国家。除汉族外,全国有 55 个少数民族。在长期历史发展过程中,我国各族人民共同创造了祖国光辉灿烂的文化,在反对帝国主义侵略和反动统治阶级压迫剥削的革命斗争中,在社会主义革命和社会主义建设的斗争中,都作出了很大的贡献。在同呼吸、共命运的革命斗争和长期的经济文化交流过程中,各民族人民之间形成了血肉不可分离的联系。党的民族政策一贯主张,国内各民族不分大小一律平等,实行民族平等、民族团结和各民族共同繁荣的政策。新中国成立后,党和国家根据我国历史情况和民族关系以及民族分布状况,制定了在少数民族聚居的地方实行民族区域自治的政策。这一政策作为我们国家的

一项重要制度,庄严地载入了宪法和民族区域自治法,受到各族人民的衷心拥护。宪法第四条规定:“中华人民共和国各民族一律平等。国家保障各少数民族的合法的权利和利益,维护和发展各民族的平等、团结、互助关系。”

由于历史的原因,民族分布状况形成了大杂居、小聚居的局面,即使是人口较多的少数民族,也是聚居的少,分散杂居的多,形成了你中有我、我中有你、互相融合、互相依存的关系。在我国农村中,多民族村民居住的村有相当数量。本法第三条规定,村民委员会根据村民居住状况、人口多少,按照便于群众自治,有利于经济发展和社会管理的原则设立。按照村民居住状况是设立村民委员会要考虑的因素之一。有的村有几个民族的村民居住,各民族的风俗习惯和利益存在一定差异。在村民委员会成员中,如果没有人数较少的民族的成员,就不便于村民委员会开展工作,不便于村民实行自治。因此,本款规定,多民族村民居住的村民委员会,应当有人数较少的民族的成员。这样在村民自治中,各民族村民都有村民委员会的成员,有利于教育村民加强民族团结、互相帮助、互相尊重。在这里应当注意的是,村民委员会组织法中“多民族村民居住的村应当有人数较少的民族的成员”,既包括在汉族村民集中的村中,应有少数民族村民担任村民委员会成员,也包括在一个或多个少数民族聚居的村中,应有人数较少的汉族或其他民族的村民担任村民委员会成员。

### 四、对村民委员会成员,根据工作情况,给予适当补贴

村民委员会是基层群众性自治组织,它的组成人员有相当部分不脱离生产,有别于政府公务员以及其他国家机关的工作人员,不能从国家领取工资。但村民委员会成员从事村民委员会的工作,要为村民办事,要协助乡镇政府工作,特别是近年来,国家为了解决“三农”问题,采取“多予少取”的方针,先后实施了“费改

税”、取消农业税、新农村建设、种粮补贴等多项政策，逐步加大对“三农”的投入力度，村民委员会的工作量大大增加，必然会影响村民委员会成员自身的收入，所以应当根据工作情况，给予适当的补贴。本款规定，对村民委员会成员，根据工作情况，给予适当补贴，不但可以减轻村民负担，而且可以调动村民委员会成员的积极性。当然，由于各地经济情况不同，补贴的标准、办法和经费来源也不尽相同。一般来说，要根据村民委员会成员办理村民委员会的事务实际占用的工作时间，本村的经济状况和村民委员会成员所承担的任务结合起来考虑。经济状况较好、村民个人收入较高的地区，补贴相应可以高些；反之，补贴相应低一些。村民委员会成员所承担的任务重的，补贴可以适当高些；反之，可以适当低些。总之，补贴的问题要从实际出发，不应“一刀切”，也不应互相攀比。本法第二十四条规定，“本村享受误工补贴的人员及补贴标准”，由村民会议决定。这样，可以避免在补贴问题上由少数村民委员会成员说了算的状况，有利于村民对村民委员会的监督，实践中为了便于村民委员会开展工作，地方各级人民政府也对村民委员会和村民委员会成员给予一定的补贴。

**第七条　村民委员会根据需要设人民调解、治安保卫、公共卫生与计划生育等委员会。村民委员会成员可以兼任下属委员会的成员。人口少的村的村民委员会可以不设下属委员会，由村民委员会成员分工负责人民调解、治安保卫、公共卫生与计划生育等工作。**

**【释义】**　本条是关于村民委员会下设委员会的规定。

村民委员会要依法履行职责，完成法律规定的各项工作，办理好本村的公共事务和公益事业，调解民间纠纷，协助维护社会治安，向人民政府反映村民的意见、要求和提出建议等，需要有一定的工作班子。由于我国幅员辽阔，地区差异较大，村与村之间的情况迥异，一个村民委员会是否需要设立下属委员会，设立哪些委员会以及每个委员会的人数，都要根据需要，既经济节省，又便于开展工作来决定。这里所说的“根据需要”，是指根据本村实际工作需要、经济发展状况以及广大群众的意愿等方面的情况。通常情况下，村民委员会都会设立一定的下属委员会，在人口少的村的村民委员会也可以不设下属委员会。

村民委员会成员不仅是村民委员会工作班子成员，也可以是下属委员会工作班子成员。在村民委员会设下属委员会的情况下，村民委员会成员可以兼任下属委员会的成员，即可以兼任下属委员会的主任、副主任或委员；在村民委员会不设下属委员会的情况下，村民委员会成员可以分工负责人民调解、治安保卫、公共卫生与计划生育等工作。这样有利于提高工作效率和减轻农民负担，体现了精简、效能的原则，符合我国农村的实际。

### 一、人民调解委员会

人民调解委员会是调解民间纠纷，用法律知识和社会主义道德风尚教育群众、团结群众的一个基层群众性组织。设立人民调解委员会，有利于解决农村基层的民事纠纷和轻微的刑事案件，防止矛盾激化，促进村民的家庭和睦、邻里团结和社会安定。早在抗日战争时期，我们党领导的各个根据地就相继开展了人民调解工作，积累了丰富的经验。新中国成立以来，我国广大的乡村城镇建立了众多的人民调解委员会。刘少奇同志曾经指出：“人民调解委员会是政法工作建设的第一道防线，必须加强。”邓小平同志1957年9月在党的八届三中全会上的报告中谈到人民调解委员会组织时指出：“这是一种群众性的自我教育、自我监督、自我约束的办法，是社会主义社会限制个人主义、改变旧的风俗习惯、形成新的风俗习惯的重要办法，不但在农村中，而且在城市中，在厂矿、机关、学校中，都可以试行。”1989年6月，国务院制定和颁布了

《人民调解委员会组织条例》,为人民调解工作提供了法规依据。

为了完善人民调解制度,规范人民调解活动,及时解决民间纠纷,维护社会和谐稳定,2010 年 8 月 28 全国人大常委会制定和通过了《中华人民共和国人民调解法》,自 2011 年 1 月 1 日起施行。人民调解法规定,人民调解委员会是依法设立的调解民间纠纷的群众性组织,村民委员会的人民调解委员会委员由村民会议或者村民代表会议推选产生。县级以上地方人民政府司法行政部门负责指导本行政区域的人民调解工作,基层人民法院对人民调解委员会调解民间纠纷进行业务指导。

人民调解委员会的任务是通过说服、疏导等方法,促使当事人在平等协商的基础上自愿达成调解协议。人民调解委员会调解民间纠纷,不收取任何费用。人民调解员根据纠纷的不同情况,可以采取多种方式调解民间纠纷,充分听取当事人的陈述,讲解有关法律、法规和国家政策,耐心疏导,在当事人平等协商、互谅互让的基础上提出纠纷解决方案,帮助当事人自愿达成调解协议。调解工作应当遵守一定的原则,即依据法律、法规、规章和政策进行调解,法律、法规、规章和政策没有明确规定的,依据社会公德进行调解;调解工作应当在双方当事人自愿平等的基础上进行;尊重当事人的诉讼权利,不得因未经调解或者调解不成而阻止当事人向人民法院起诉。

## 二、治安保卫委员会

治安保卫委员会是发动群众协助人民政府维护社会治安、同一切刑事犯罪活动作斗争的一个基层群众性治安保卫组织,是村民委员会的一个下属机构。治安保卫委员会在全国城乡的普遍设置是当年根据毛泽东同志的倡导建立起来的,1951 年 5 月,毛泽东同志指出:“全国各地,必须在此次镇压反革命的伟大斗争中普遍地组织群众性治安保卫委员会。”1952 年 6 月,经中央人民政府政务院批准，8 月 11 日公安部公布了《治安保卫委员会暂行组织条例》，明确地规定了治安保卫委员会的任务、组织机构和活动原则。1979 年，第五届全国人民代表大会常务委员会第十二次会议通过的《关于中华人民共和国建国以来制定的法律、法令效力问题的决议》，重申《治安保卫委员会暂行组织条例》继续有效，全国城乡治安保卫委员会普遍恢复和进一步健全，在维护社会治安，维护城乡的生产和生活秩序方面发挥了重要的作用。农村中的治安保卫委员会设在村民委员会中，作为村民委员会下属委员会，有利于加强治安保卫委员会的领导，进一步做好农村基层治安保卫工作。治安保卫委员会成员要政治思想好、作风正派，能联系群众，热心治保工作，有一定业务能力。根据人民警察法规定，公安机关的人民警察在业务上负责指导治安保卫委员会的治安防范工作。

### 三、公共卫生与计划生育委员会

村民委员会可以根据需要单独设立公共卫生委员会、计划生育委员会，也可以将两者合并设立一个公共卫生与计划生育委员会。

公共卫生委员会是负责办理卫生宣传、治理环境、防病治病等公共卫生事务的基层群众性组织。公共卫生事业在我国有着悠久的历史。早在井冈山革命根据地时期，就建立了各级卫生组织，在各级苏维埃政权体系中也建立了卫生机构。新中国成立以后，在党和政府的领导下，我国卫生事业有了进一步的发展。1952 年党中央、毛主席发出了“动员起来、讲究卫生、减少疾病、提高健康水平”的号召，周恩来总理亲自主持建立中央爱国卫生运动委员会的工作，随即，地方各级政权组织和各大中企业事业单位也都成立了相应的组织。20 世纪 70 年代初，党中央明确提出了农村爱国卫生运动的任务要以“两管五改”（管水、管粪和改造水井、厕所、畜圈、炉灶、环境）为中心，把爱国卫生运动同农村的治山、治水、修路、建设新农村结合起来。1981 年起提倡的“五讲四美”活动，把“讲卫生”“环境美”纳入社会主义精神文明建设的基本内容，随着两个文明建设活动的不断深入，公共卫生事业也越来越得到普遍重视。

开展计划生育工作以来，许多村民委员会设立了计划生育委员会，专门负责计划生育的宣传、检查和监督工作。

除了人民调解、治安保卫、公共卫生与计划生育等委员会，村民委员会还可以根据需要设立一些其他委员会。比如，实行联产承包责任制后，为了管理土地，管理生产，一些地方成立了土地管理委员会；为了兴办本地区公益事业，发展集体福利事业，组织各种合作经济，管理村办企业，许多地区的村民委员会设立了生产服务委员会、社会福利委员会；根据村民委员会自我教育的要求和社会主义精神文明建设的需要，各地村民委员会采取多种形式，丰富村民的文化生活，发展本村的文化、教育、卫生事业，有些地方设立了文化教育委员会或教科文卫委员会。实践证明，根据当地实际，结合村民委员会的任务，建立健全村民委员会的工作机构，对搞好村民委员会工作是十分必要的。

**第八条　村民委员会应当支持和组织村民依法发展各种形式的合作经济和其他经济，承担本村生产的服务和协调工作，促进农村生产建设和经济发展。**

**村民委员会依照法律规定，管理本村属于村农民集体所有的土地和其他财产，引导村民合理利用自然资源，保护和改善生态环境。**

**村民委员会应当尊重并支持集体经济组织依法独立进行经济活动的自主权，维护以家庭承包经营为基础、统分结合的双层经营体制，保障集体经济组织和村民、承包经营户、联户或者合伙的合法财产权和其他合法权益。**

**【释义】**　本条是关于村民委员会经济职能的规定。

在1987年制定村民委员会组织法（试行）以及1998年修改村民委员会组织法时，对村民委员会与集体经济组织之间的关系，以及村民委员会是否具有管理集体经济职能，均有争论。主要有三种意见：一是认为村民委员会作为群众性自治组织，理所当然要承担管理集体经济的职能，否则村民自治就会受到限制。二是认为村民委员会不应具有管理集体经济的职能，应由农村集体经济组织管理。三是认为我国各地差别很大，应根据不同情况作出相应规定，有村集体经济组织的，由村集体经济组织管理；没有村集体经济组织的，由村民委员会管理。在此次村民委员会组织法修订时，不少常委委员、人大代表、部门、地方、社会公众建议把村民委员会与村集体经济组织的关系界定清楚。为此，本法第二十四条第三款规定：法律对讨论决定村集体经济组织财产和成员权益的事项另有规定的，依照其规定。这里的法律包括民法通则、物权法、土地管理法、农村土地承包法、农业法、森林法、草原法、渔业法、农民专业合作社法等。

村民委员会作为基层群众性自治组织，应当管理好本村集体资产，支持和组织村民努力发展经济。根据本条规定，村民委员会的经济职能有以下几项：

### 一、支持和组织村民依法发展各种形式的合作经济和其他经济

宪法第八条规定："农村集体经济组织实行家庭承包经营为基础、统分结合的双层经营体制。农村中的生产、供销、信用、消费等各种形式的合作经济，是社会主义劳动群众集体所有制经济。参加农村集体经济组织的劳动者，有权在法律规定的范围内经营自留地、自留山、家庭副业和饲养自留畜。"我国是社会主义国家，发展合作经济，走共同富裕的道路，是我们长期不变的方针。同时，发展合作经济，也不能否认私营、合伙、个体的经济以及其他经

济形式的发展。

发展合作经济，要在村民自愿的基础上进行，应当在为农民提供产前、产中、产后的社会化服务，发展农产品加工、销售、运输、保鲜、提供科技信息服务等二、三产业，发展村办企业和其他合作企业上下工夫。

从目前农村合作经济组织的实际情况看，主要有三种形式：第一种是按照一村一社的模式建立起来的、由全体村民参加的区域性合作经济组织，比如村经济联合社、村合作社等，统一管理全村的土地和村办的各种合作经济，包括村办企业、村办各种服务队等。许多地方虽然形式上实行一村一社，但多数实际上只是一个牌子，与村民委员会是一班人马。第二种是村没有统一的合作经济组织，即没有区域性合作经济组织，由村民委员会直接管理全村的土地和各种村办的合作经济。第三种是部分村民自愿组织起来的各类专业合作经济组织，包括村民小组投资兴办的企业等。为促进专业合作经济组织的发展，农业法规定，国家鼓励农民在家庭承包经营的基础上自愿组成各类专业合作经济组织。2006 年国家制定了农民专业合作社法，为农民自愿组织各类专业合作经济组织提供了法律保障。

二、承担本村生产的服务和协调工作

农村实行家庭承包责任制以后，家庭作为农村生产的基本单位，需要解决产前、产中、产后的各种服务和协调。村民委员会作为村民自治组织，理所当然地应当承担起这两项工作。

服务，包括由村民委员会直接提供各种服务，也包括通过建立各种服务组织（如各种产供销服务队或者合作经济组织）提供各种服务。具体来说，包括以下三个层次：一是村民委员会要直接过问村民生产的各项服务工作是否得到落实，没有落实的，要组织落实；二是在设有区域性合作经济组织的村，生产服务工作往往由区域性合作经济组织承担，在这种情况下，村民委员会有权也有责任督促区域性合作经济组织搞好生产服务工作；三是在没有相应的区域性合作经济组织为村民提供生产服务时，村民委员会应当根据群众意愿和实际需要建立有关服务组织（如各种服务队）为村民提供生产服务或者由村民委员会直接为村民提供各项生产服务。

协调，就是对本村各种经济组织之间、经济组织与村民之间在经营活动中的用地、用电、用水等方面进行协调和统筹。具体来说，包括以下三个层次：一是村民委员会要制定本村生产的年度和中长远规划，并组织实施；二是要协调本村各经济组织之间的生产活动，包括区域性集体经济组织与其他合作经济组织之间、各村办合作经济组织之间、村办合作经济组织与村民合办的经济组织之间的生产活动；三是要协调合作经济组织与村民之间、村民与村民之间的生产活动。从内容上讲，要协调各方面的生产用水、用电、场地使用等。

三、依法管理本村土地和其他财产

村民委员会对本村属于村农民集体所有的土地和其他财产的管理，要依照法律规定进行。根据物权法、土地管理法、农村土地承包法、农业法、森林法、草原法、渔业法等法律规定，对农民集体所有的土地的管理权分为四种情况：(1)属于全村农民集体所有的土地，如果没有建立有全村村民都参加的区域性村集体经济组织的，由村民委员会作为发包方，将土地承包给村民经营；(2)属于全村农民集体所有的土地，如果建立有全村村民都参加的区域性村集体经济组织的，由村集体经济组织作为发包方，将土地承包给村民经营；(3)属于村民小组集体所有的土地，由村民小组作为发包方，将土地承包给村民经营；(4)属于全乡镇农民集体所有的土地，由乡镇集体经济组织经营、管理。只有第一种情况，属于村民委员会依法管理本村属于村农民集体所有的土地的情形。本村其他财产,包括动产和不动产,是否由村民委员会管理,也按以上原则分别情况决定。为了解决现实生活中存在的关于村集体所有的土地以及其他集体财产应由谁管理的问题,本法第二十四条第三款规定:“法律对讨论决定村集体经济组织财产和成员权益的事项另有规定的,依照其规定。”第二十八条第三款中规定,“属于村民小组的集体所有的土地、企业和其他财产的经营管理以及公益事项的办理,由村民小组会议依照有关法律的规定讨论决定”。

四、引导村民合理利用自然资源,保护和改善生态环境

我国是一个人口众多、资源相对稀缺的国家。因此,合理利用资源,保护和改善生态环境,是保证我国可持续发展的重要条件。村民委员会作为基层群众性自治组织,有责任引导村民合理利用包括土地在内的各种自然资源,提高环保意识,保护和改善生态环境,为建设资源节约型、环境友好型社会做出贡献。

五、尊重并支持集体经济组织依法享有的经营自主权,保障集体经济组织和村民合法的财产权和其他合法权益

集体经济组织依法享有经营自主权,村民委员会应当予以尊重并支持。对集体经济组织和村民的合法财产权和其他合法权益,不仅村民委员会自己不能侵犯,还要抵制来自其他各方面的侵犯,保障集体经济组织和村民、承包经营户、联户或者合伙的合法财产权和其他合法权益。当然,对于从集体经济所得的收入,所有权已经转移归村民委员会所有的,村民委员会可依法支配。

六、维护以家庭承包经营为基础、统分结合的双层经营体制

家庭承包经营是农村集体经济组织内部的一个经营层次,是中国人民的一个伟大创造,也是十一届三中全会以后在中国农村

推行的一项最伟大、影响最深远的改革。实践证明,这种经营方式,符合我国国情、民情和广大农民利益,符合生产关系一定要适应生产力发展要求的规律,也符合农业生产自身的特点,不仅适应以手工劳动为主的传统农业,也能适应采用先进科学技术和生产手段的现代农业,具有广泛的适应性和旺盛的生命力,必须长期坚持。为此,土地管理法和物权法规定了较长的承包期:耕地的承包期为三十年;草地的承包期为三十年至五十年;林地的承包期为三十年至七十年,特殊林木的林地承包期,经国务院林业行政主管部门批准可以延长。

双层经营体制是在稳定土地承包关系的基础上,为解决一家一户难以解决的产前、产中、产后的一系列困难,根据实际需要和村民意愿,把家庭分散经营与村民互助合作有机地结合起来的一种经营形式。双层经营的基础是不改变土地承包关系,在此前提下,村民根据实际需要,按照自愿的原则,可以对产前、产中、产后的某些环节实行合作。实行双层经营,必须实事求是,充分尊重农民的意愿,绝不能搞强迫命令。

稳定土地承包关系与发展集体经济并不矛盾。发展集体经济要尊重农民的土地承包经营权,要根据法律的规定,保障农民的土地承包及经营流转的合法权益,要坚决杜绝下列行为:(1)干涉承包方依法享有的生产经营自主权。如干涉农民自主安排的生产经营项目,强迫农民购买指定的生产资料或者按指定的渠道销售农产品。(2)违法收回农户承包地。如强行收回外出务工就业农民的承包地,收回承包地抵顶欠款,违法收回进入小城镇落户农民的承包地,以划分"口粮田"和"责任田"等为由收回承包地搞招标承包,用收回农民承包地的办法搞劳动力转移等。(3)违法调整农户承包地。如承包期内用行政命令的办法硬性规定在全村范围内几年重新调整一次承包地,借颁发农村土地承包经营权证书之机重新承包土地等。(4)不落实二轮承包政策。对适合实行家庭承包的耕地,第一轮耕地承包合同到期后,如不执行延长土地承包期三十年政策,不与农户签订土地承包合同,不发放农村土地承包经营权证书,超额预留机动地等。(5)利用职权变更、解除土地承包合同。如因承办人或负责人的变动而变更或解除承包合同,因集体经济组织分立或者合并而变更或解除承包合同等。(6)强迫承包方流转土地承包经营权。如强制收回农民承包地搞土地流转,村级组织出面租赁农户的承包地再进行转租或发包,假借少数服从多数强迫承包方放弃或者变更土地承包经营权而进行土地承包经营权流转等。(7)阻碍承包方依法流转土地承包经营权。如对承包方合法流转土地承包经营权作出限制等。(8)侵占承包方的土地收益。如小调整时随意提高承包费,截留、扣缴承包方土地流转收益,截留、挪用征地补偿费用等。(9)违法发包农村土地。如未经本集体经济组织成员的村民会议三分之二以上成员或者三分之二以上村民代表的同意将农村土地发包给本集体经济组织以外的单位或者个人,将机动地长期用于对外发包,侵吞土地发包收入,泄露土地招标承包标底秘密等。(10)侵害妇女依法享有的土地承包经营权。如承包时对妇女实行有别于男子的歧视性土地承包政策,承包期内违法收回出嫁女承包地等。(11)村级组织不作为。如村级组织不执行仲裁、司法裁判或名义上执行实际上拖延不办等。(12)村级组织制定的有关规定违反国家农村土地承包政策、法律等。

**第九条　村民委员会应当宣传宪法、法律、法规和国家的政策,教育和推动村民履行法律规定的义务、爱护公共财产,维护村民的合法权益,发展文化教育,普及科技知识,促进男女平等,做好计划生育工作,促进村与村之间的团结、互助,开展多种形式的社会主义精神文明建设活动。**

**村民委员会应当支持服务性、公益性、互助性社会组织依法开**

**展活动，推动农村社区建设。**

**多民族村民居住的村，村民委员会应当教育和引导各民族村民增进团结、互相尊重、互相帮助。**

**【释义】** 本条是关于村民委员会社会职能的规定。

当前，我国正处在全面建设小康社会、加快推进社会主义现代化的新的发展阶段，农村改革、发展和稳定的任务十分繁重。适应农村发展的新形势，进一步推进农村社会主义物质文明、政治文明、精神文明协调发展，是顺利推进农村改革和发展，加快农村全面建设小康社会进程的必然要求。本条规定的村民委员会的社会职能主要有以下几项：

## 一、宣传宪法、法律、法规和国家政策

依法治国，建设社会主义法治国家，是我们党和国家的既定方针。依法治国，就是要做到有法可依、有法必依、执法必严、违法必究。要实现这一目标，不仅要使执法者知法、懂法，而且必须使广大群众都知法、懂法，提高法制观念，养成依法办事的习惯，学会运用法律武器维护自己的合法权益。村民委员会作为基层群众性自治组织，向群众宣传宪法、法律、法规和国家政策，使群众知法、懂法，并自觉地守法，既是群众进行自我管理、自我教育、自我服务的一项重要内容和有效形式，也是协助人民政府开展工作的好方法。

宪法是国家的根本法，确认国家的根本政治制度和经济制度，规定公民的基本权利和义务，规范国家机关的组织和活动，集中体现了我国最大多数人民的最大利益，具有最高的法律效力，法律、法规和国家政策都不得同宪法相抵触。法律是由全国人大及其常委会制定，由国家主席公布，效力仅次于宪法的社会规范。法规包括行政法规和地方性法规。行政法规由国务院根据宪法和法律制定和公布，并不得同宪法和法律相抵触。地方性法规由省、自治区、直辖市人大及其常委会批准和制定，并不得同宪法、法律和行

政法规相抵触。国家政策是国家在一定时期为实现一定的任务而规定的行动准则和依据。

村民委员会在宣传宪法、法律、法规和国家政策时,应注意以下几点:一是注意宣传的内容。应着重宣传与村民关系密切的法律,如宪法中关于公民的基本权利和义务的规定、村民委员会组织法、农业法、土地管理法、农村土地承包法、义务教育法、婚姻法、治安管理处罚法和信访条例等。政策方面,除应宣传与村民的生活和生产密切联系的各项具体的农村、农业政策外,还应重点宣传国家的基本国策及其他大政方针。二是注意宣传的形式。宣传的形式可以多种多样,如采用墙报、黑板报、广播等形式,要做到准确、生动、通俗易懂、讲究实效。三是村民委员会成员应以身作则,带头学法守法,为村民树立榜样,这是宣传法制的最好形式。同时要注意培养法制和政策宣传骨干,用榜样和骨干带动全体。四是注意抓好青少年的法制宣传和政策教育工作。青少年爱好广泛、精力充沛、求知欲强,他们的世界观又尚未形成,对他们进行法制宣传,易于培养他们的法制观念。法制宣传教育,要努力培养和增强农民参与村民自治活动和其他社会管理的能力,引导农民通过法律途径和正当渠道与方式解决矛盾纠纷、维护自身合法权益。

## 二、维护村民合法权益,教育和推动村民履行法律规定的义务

我国是人民民主的社会主义国家,人民是国家的主人,国家的一切权力属于人民。为此,我国的宪法、法律、法规规定人民享有广泛的权利。村民委员会是群众自己组织起来的基层群众性自治组织,维护群众合法权益是群众自治的一项重要内容。维护群众的合法权益,首先要维护公民的基本权利。我国宪法规定的公民的基本权利,包括公民的民主权利、自由权利、人身权利和人格权、经济、文化和社会权利等诸方面。从现阶段我国的情况和村民委员会的特点来看,村民委员会应特别注意维护村民的土地承包经

营权、人身自由权、婚姻自由权、男女平等权、劳动权、受教育权、财产权和伤老病残时获得帮助的权利等。

权利与义务是紧密联系的，没有无义务的权利，也没有无权利的义务，公民在享受权利时必须履行依法应尽的义务。因此，村民委员会在维护群众的合法权益时，也要教育和推动村民自觉履行宪法、法律、法规等规定的义务。这些义务主要有遵守宪法、法律、法规，爱护公共财产，遵守公共秩序，尊重社会公德，保卫祖国和依法服兵役，依法纳税，实行计划生育等。

### 三、开展多种形式的社会主义精神文明建设活动

精神文明是指人类精神生活的进步状态。社会主义精神文明是社会主义的重要特征，其根本任务是适应社会主义现代化建设的需要，培养有理想、有道德、有文化、有纪律的社会主义公民，提高整个中华民族的思想道德素质和科学文化素质。村民委员会开展多种形式的精神文明建设，就是通过广播、宣传栏、群众手册、村规民约、社会主义新农村建设等活动，达到对群众进行理想教育、道德教育、法制教育、科学技术教育、文化卫生教育等方面的作用，从而促进群众形成一种向上、和谐的精神状态，推动社会主义现代化建设的发展。在社会生活中，要大力发扬和提倡村民互相关心、互相帮助、和睦相处，大力提倡礼貌待人、互相谦让、男女平等、尊老爱幼的文明新风，大力提倡维护公共秩序、保持公共卫生、爱护公共财产的良好风尚。

### 四、支持公益活动，推动农村社区建设

推动农村社区建设是促进社会主义新农村建设的一项重要举措。在农村建立社区组织，开展社区公益事业服务，有助于发展社区卫生，繁荣社区文体活动，美化社区环境，调解社区民间纠纷，倡导社区互助精神，树立社区良好社会风气，建立良好的人际关系，

把农村建设成为管理民主、治安良好、环境优美、文明祥和的新农村。本村村民既可以自行组织成立社区组织,政府、慈善机构也可以成立服务性、公益性、互助性的社会组织,入驻农村社区。村民委员会应当支持这些社会组织依法开展活动,推动农村社区建设。

五、增进多民族居住村的民族团结

我国是一个多民族的国家,由于历史原因,我国各民族在分布上形成了一种大杂居、小聚居、互相交错的居住局面。一方面,汉族居民遍及全国,就是在少数民族历来居住集中的地区,也居住着相当数量的汉族居民。另一方面,每一少数民族既有自己一个或几个或大或小的聚居区,也有一定数量的少数民族散居于全国各地。在这种民族分布状况下,必然产生多个民族的村民共同居住在同一地区,组成同一个村民自治组织的情况。

坚持民族平等,增进民族团结,是党和国家解决民族问题和处理民族关系的根本原则,这一原则在宪法中得到确认。我国宪法规定,中华人民共和国各民族一律平等,国家保障各少数民族的合法权利和利益,维护和发展各民族的平等、团结、互助关系。禁止对任何民族的歧视和压迫,禁止破坏民族团结和制造民族分裂的行为。因此,增进民族团结,既是群众自治的要求和内容,也是宪法的一项要求。多个民族居住的村,增进民族团结,互相帮助,互相尊重,是维护和发展各民族的平等团结、互助关系的基础。村民委员会教育和引导各民族增进团结,首先要向群众宣传我国的民族政策,宣传我国民族紧密团结的悠久历史和传统。其次要教育群众相互尊重、相互帮助,特别要教育群众相互尊重各民族的不同风俗习惯和宗教信仰。第三,要教育群众相互信任、相互学习、取长补短、共同发展。在多个民族居住的村,村民委员会只有通过教育和引导村民增进民族团结,才能在本村建立起各民族成员真正平等团结友爱的大家庭,各民族成员才能在这种大家庭里共同致富、共同发展和共同繁荣。

**第十条　村民委员会及其成员应当遵守宪法、法律、法规和国家的政策，遵守并组织实施村民自治章程、村规民约，执行村民会议、村民代表会议的决定、决议，办事公道，廉洁奉公，热心为村民服务，接受村民监督。**

**【释义】**　本条是关于村民委员会及其成员要求的规定。

建设一支守法纪、讲民主、有公心、重品行的农村基层干部队伍，对做好村民自治工作至关重要。长期以来，广大农村基层干部辛勤工作，廉洁奉公，为推动农村经济社会发展和维护农村社会稳定和谐作出了重要贡献。农村基层干部队伍的主流是好的。但也要看到，随着改革的深入和工业化、城镇化的推进，农村的社会结构、生产方式、组织形式和利益关系正在发生深刻变化，一些地方的村民委员会及其成员还没有完全适应这一变化，在民主选举、民主决策、民主管理、民主监督中还存在这样或者那样的一些问题，有的村民委员会成员甚至把当选当作谋取个人、小团体利益的一种手段，上任后对国家法律政策不落实，对村民自治章程、村规民约不遵守，对本村的公共事务和公益事业不热心，有的甚至走上了违法犯罪的道路，导致班子涣散，村务管理不民主现象长期存在，党群干群关系紧张，经济社会发展落后，等等。为此，中共中央办公厅、国务院办公厅《关于加强农村基层党风廉政建设的意见》(中办发〔2006〕32 号)提出，农村基层党员、干部要发扬党的优良传统和作风，适应社会主义新农村建设的要求，坚持做到"六要六不要"：要解放思想、与时俱进，不要因循守旧、不思进取；要求真务实、量力而行，不要虚假浮夸、盲目攀比；要尊重民意、依法办事，不要强迫命令、独断专行；要艰苦奋斗、勤俭节约，不要贪图享乐、铺张浪费；要廉洁自律、公道正派，不要以权谋私、与民争利；要崇尚科学、移风易俗，不要搞封建迷信和婚丧喜庆大操大办。村民委员会组织法作为调整村民自治的法律,有必要对村民委员会及其成员开展工作提出要求。

一、要遵纪守法

遵纪守法,就是遵守宪法、法律、法规和国家政策,尊重公民的基本权利,自觉履行法律规定的义务,按照国家有关规定履行职责,管理好村集体资产,搞好村民自治制度建设,维护好村民合法权益,确保宪法、法律、法规和国家政策在农村得到落实。村民委员会及其成员遵守法律、法规,尤其要严格落实与农民权益紧密相关的有关规定,如土地管理法、农村土地承包法等,要严格落实有关协助政府开展工作的规定,如义务教育法、兵役法等。国家政策,特别是涉及农村、农业、农民的国家政策,对于指导农村的改革、发展、建设具有重大意义,有的具体规定直接涉及每个村民的切身权益,如补贴补助、救灾救助、一事一议的筹资筹劳等国家政策,都需要村民委员会及其成员严格遵守,这是落实国家支农惠农政策的保障,也是建设社会主义和谐新农村的重要基础。

遵守宪法、法律、法规和国家政策的前提,是学习和掌握宪法、法律、法规和国家政策。不知法、不懂法,就不能很好地守法。实践中,许多违法行为都是由于不知法、不懂法引起的。村民委员会成员不仅自己要带头学,而且还应当组织村民学。只有全体村民都掌握了宪法、法律、法规和国家政策,才能运用法律武器保护自己的合法权利和利益。因此,认真学习宪法、法律、法规和国家政策,对搞好村民自治,发展基层民主政治、经济、文化,具有重要意义。

二、履行管理职责,接受村民监督

村民自治章程、村规民约,是村民自己制定的实行自我管理、自我教育和自我服务的规章制度,是推行民主选举、民主决策、民主管理、民主监督各项制度的重要基石，尤其是自治章程，被村民誉为村民自治的“小宪法”。村民委员会及其成员只有遵守自治章程、村规民约，才能自觉地接受村民监督，才能推动基层民主政治建设，才能从根本上杜绝村民自治不民主现象的发生。

村民会议、村民代表会议是村民自治的最高组织形式，它所作的决定、决议是少数服从多数民主决策的结果，具有村民自治的最高效力，对全体村民都有约束力，任何村民都要遵守执行，村民委员会及其成员尤其要模范遵守。

### 三、要办事公道、廉洁奉公

村民委员会作为群众自治组织，承担着本村公共事务和公益事业、调解民间纠纷等各项工作，与村民权利和利益密切相关。因此，村民委员会及其成员有没有威信，村民满意不满意、拥护不拥护，关键是村民委员会及其成员办事公道不公道、廉洁不廉洁。

办事公道，就是村民委员会及其成员在办理村民自治事务时要做到合法、合理、公平。要出于公心，谋公利、兴公益，维护好村民的权益。尤其是在土地承包流转，筹资筹劳，救灾救助、补贴补助、征地补偿款分配，计划生育指标以及奖励扶助政策落实等涉及物质利益分配时，更要做到办事公道。

廉洁奉公，就是不向村民吃、拿、卡、要，做到公私分明，不徇私情，不以公谋私，真正以最大多数村民的最大利益为一切工作的出发点和归宿。

要做到办事公道、廉洁奉公，一要正确处理集体利益与个人利益的关系。在农村基层，集体利益和个人利益有时是一致的，有时则是矛盾的。一致时比较好办，但矛盾时怎么办？是先公后私，还是先私后公，甚至损公肥私，这对村民委员会及其成员是一个重要的考验。有的村民委员会成员没有摆正集体利益和个人利益的关系，忘记了自己是村民选举出来的广大村民的办事人，而是利用手中掌握的权力谋取私利,最后也被村民所抛弃。二要坚持原则,善于做说服教育工作。村民委员会的工作牵涉村民的权利和利益,比如宅基地、计划生育名额该给谁不该给谁,调解民间纠纷如何分清是非等,都必须坚持原则,对不明真相或者无理取闹的村民多做说服、解释、教育工作。坚持原则,有的可能一时不被理解,但时间长了,大多数村民就会有一个比较公正的看法,村民委员会及其成员的威信就能树立起来,村民自治就可以开展得比较顺利。

四、要热心为村民服务、接受村民监督

村民委员会的任务头绪很多,而村民委员会成员又不脱离生产,虽然有一定的补贴,但这些补贴与村民委员会成员所付出的劳动往往不成正比。而且从事村民委员会工作,有时还会受到来自村民一些不公正的责备。比如,有的事情可能绝大多数村民同意,但有少数村民不同意;有的可能从长远看是对的,但一时有些村民可能不理解等。因此,从事村民委员会工作,没有一份热心肠不行,没有一点奉献精神不行。如果村民委员会成员都从个人得失考虑,什么都讲按劳取酬,给多少补贴做多少工作,是肯定做不好村民委员会工作的。

热心为村民服务,同时也要注意切合实际,不能好高骛远。有的村民委员会成员用心很好,但结果却不很好,其中一个重要原因就是脱离了实际可能。农村各地经济发展和自然条件很不一样,许多事情其他地方能办到,本地不一定能办到;其他地方能办好,本地不一定能办好。因此,村民委员会成员既要热心为村民服务,又要有务实精神,做到头脑冷静、脚踏实地,不能光凭热情,不要跟着别的地方起哄,不切合实际地同其他地方攀比。

热心为村民服务,还要注意工作方法,注意团结大多数村民。有的村民委员会成员工作热情很高,但工作方法简单粗暴,不善于做细致的说服解释工作,虽有一腔热血,却总做不好工作。因此,村民委员会成员不仅要有一份热心肠，还要了解村民的思想觉悟，善于把自己的想法化作村民的想法，取得多数村民的支持和拥护。只有这样，才能真正把工作做好，把良好的想法变成现实。否则，得理不让人，弄得孤家寡人，则可能把可以办好的事办糟。

村民委员会及其成员要接受村民监督，这是民主监督的重要内容。长期以来，各地在民主监督方面进行了很多很好的实践，取得了非常好的效果。本法第五章在总结各地经验的基础上对民主监督作了专门规定，村民委员会及其成员要自觉遵守。

# 第三章 村民委员会的选举

**第十一条 村民委员会主任、副主任和委员，由村民直接选举产生。任何组织或者个人不得指定、委派或者撤换村民委员会成员。**

**村民委员会每届任期三年，届满应当及时举行换届选举。村民委员会成员可以连选连任。**

**【释义】** 本条是关于村民委员会及其成员的产生方式和任期的规定。

村民委员会选举，是我国社会主义民主在农村最广泛的实践形式之一。当前，我国农村正在发生新的变革，农村社会结构快速变动，社会利益格局和农民思想观念深刻变化。为有利于保障村民依法直接行使民主权利，发展农村基层民主；为有利于村民委员会成员开展工作的连续性，维护农村社会和谐稳定；为有利于调动亿万农民群众建设社会主义新农村的积极性、主动性和创造性，推动农村全面建设小康社会进程，有必要对村民委员会及其成员的产生方式和任期作出规定。当前，有的地方政府还没有完全转变观念，仍把村民委员会作为下属机构进行管理，对村民委员会成员的产生进行干涉，甚至指定、包办；在有的地方，还存在利用宗族、家族甚至黑恶势力干预村民委员会及其成员的产生；有的村民委员会及其成员为了假公济私，拖延换届选举，致使法律赋予村民的民主选举权利受到侵害。对于上述种种不利于村民自治的行为，党中央、国务院先后多次发出指示，要求各地政府予以坚决纠正，指导村民委员会换届选举的公正、有序地开展，取得了显著成效。

一、村民委员会成员的产生

由村民直接选举村民委员会,是法律赋予村民的一项基本民主权利,是基层民主的重要体现。搞好村民委员会换届选举,实行村民自治,扩大农村基层民主,是党领导亿万农民建设有中国特色社会主义民主政治的伟大创造,做好这项工作,有利于把村民公认的、真心实意为群众服务的人选进村民委员会;有利于调动广大农民群众当家做主的积极性、主动性,增强自主意识、竞争意识、民主法制意识,促进农村先进文化的发展;有利于坚持党的全心全意为人民服务的根本宗旨,密切党同农民群众的血肉联系,巩固党在农村的执政基础,更好地实现最广大人民群众的根本利益。

在一个村的范围内,村民朝夕相处,生产和生活相关,对本村的情况最了解。谁有经济头脑,谁老实厚道,谁为老百姓办事,大家心中都有一杆秤。村民知道谁能胜任主任,谁合适当委员;村民更知道村民委员会应由哪些人组成,才能代表自己的意愿和利益,才能保持农村稳定,带领大家致富奔小康。因此,有条件实行村民委员会主任、副主任和委员的直接选举。"村民委员会主任、副主任和委员,由村民直接选举产生",就是指由全体有选举权的村民,直接投票选举产生,不需要经过任何其他环节。这就意味着:第一,村民委员会主任、副主任、委员三种职务都必须由村民直接投票选举产生,不得先选举村民委员会委员,然后再由委员自己推选主任和副主任。第二,不得采用户代表选举,更不得采用推选村民代表,然后由村民代表选举村民委员会主任、副主任和委员的做法。

为了防止选举不民主,不经选举直接指定、委派村民委员会成员,随意撤换村民委员会成员,本法规定,任何组织或者个人不得指定、委派或者撤换村民委员会成员。也就是说,村党支部、乡镇党委、人大、政府和其他上级机关,以及任何个人都无权任命、指定或委派村民委员会组成人员,更不得随意撤换。凡是采取上述做法的,都是违背法律的,一律无效,应当予以纠正。

二、村民委员会及其成员的任期

村民委员会每届任期三年,村民委员会成员的任期与村民委员会任期相同为三年,但村民委员会成员可以在换届时连选连任,不受连任届数的限制。

对于村民委员会的任期,在本次修法过程中,还有一些意见建议将村民委员会每届任期由三年改为五年或者四年;还有的意见建议由省级人大常委会在三年至五年之间确定。建议改为五年的主要理由:一是任期短,易引发短期行为,不利于长远规划;二是换届选举工作量大、成本高,改成五年可以与县乡人大政府换届同步,能减少工作环节;三是任期短不利于农村社会稳定。

村民委员会任期长短各有利弊。任期规定为三年,主要考虑:一是与村党支部的任期同步,有利于党支部成员在村民委员会交叉任职,发挥基层党组织领导基层民主政治建设的核心堡垒作用;二是村民委员会三年一选,有利于村民通过换届实现对村民委员会及其成员的有效监督;三是村的地域范围有限,村的工作不需要太长的熟悉过程;四是村民委员会选举是一个村的自治事务,应由村民自己完成,即便现在用一些财力搞选举,对于民主的进步也是必要的。

村民委员会三年任期届满,应当及时进行换届选举。根据《中共中央办公厅、国务院办公厅关于加强和改进村民委员会选举工作的通知》(中办发〔2009〕20号)的精神,村民委员会要依法按期进行民主选举,未经县(市、区)委批准,无故取消或拖延村民委员会换届选举的,要依法追究乡(镇、街道)党委(工委)、政府和村党组织、村民委员会主要负责人的责任。

村民委员会成员可以连选连任,它不仅可以激励村民委员会成员在任期内热心为村民服务,办好事、办实事,努力做出工作成绩，争取下届连任，而且可以保持村民委员会的连续性、稳定性和积累工作经验，这对于加强村民委员会的组织建设，无疑将起到积极的作用。村民委员会成员连选连任，到底可以连任多少届，法律没有限定次数。只要村民拥护，本人愿意，就可以连任。我国农村有许多从实践中脱颖而出的能人，深受村民信任，在村里工作十几年甚至是几十年，为村里的建设作出了重要贡献。因此，连选连任，有利于村民委员会保留、吸纳优秀人才。为了防止连选连任可能导致的终身制、家长制、一言堂，助长官僚主义作风等问题，法律又规定了罢免程序和民主评议程序。一旦有这种情况，村民就会不再选举他，使他民主评议不称职，或者予以罢免。当然，一些连选连任的村民委员会成员，也不能居功自傲，要时刻自觉摆正位置，同村民保持密切联系，积极为村民服务。

**第十二条　村民委员会的选举，由村民选举委员会主持。**

**村民选举委员会由主任和委员组成，由村民会议、村民代表会议或者各村民小组会议推选产生。**

**村民选举委员会成员被提名为村民委员会成员候选人，应当退出村民选举委员会。**

**村民选举委员会成员退出村民选举委员会或者因其他原因出缺的，按照原推选结果依次递补，也可以另行推选。**

**【释义】**　本条是关于主持村民委员会选举的组织机构的规定。

一、村民选举委员会成员的产生

搞好村民委员会选举，要体现公开、公平、公正的原则，就必须有一个公正、独立的机构来负责组织。从以往的经验看，过去村民委员会进行换届选举，有的地方先成立村民选举委员会或者村民委员会换届选举领导小组，由选举委员会或选举领导小组负责组织选举工作;而有的地方由村民委员会或党支部主持。确立选举的组织机构,是村民委员会选举工作的首要环节,对选举具有十分重要的作用。选举村民委员会是村民的民主权利,所以这个机构应当由村民自己推选出的组织来主持,这样可以更好地尊重村民的意愿。1987 年 11 月,六届全国人大常委会第二十三次会议通过的村民委员会组织法(试行)对村民委员会选举工作由谁主持,没作规定。1998 年 11 月,九届全国人大常委会第五次会议通过的村民委员会组织法,根据以往搞好村民委员会选举的成功经验,借鉴我国县、乡人大代表直接选举时成立选举委员会的工作经验,规定:“选举村民委员会,由村民选举委员会主持。村民选举委员会成员由村民会议或者各村民小组推选产生。”2010 年修订村民委员会组织法,依据近些年村民委员会选举的工作实践经验,完善了村民选举委员会的组成、回避和推选程序。

推选产生村民选举委员会成员是一项重要的选举程序,也是村民委员会换届选举的一个重要环节,应当依法推选。根据本条第二款的规定,村民选举委员会成员的产生,有三种方式:一是由村民会议推选;二是由村民代表会议推选;三是由各村民小组会议推选。除此之外,任何组织和个人都不得任意委派、指定或撤换村民选举委员会成员。这是由村民委员会的性质和村民自治的要求所决定的,是为了充分发扬民主,确保被推选的成员为大多数村民所认可。实践中,推选村民选举委员会时,较大的村,一般在各村民小组或村民代表会议中组织推选,然后按票数集中,票数高者当选;较小的村,可以直接召开村民会议,当场推选确定村民选举委员会的成员。关于推选村民选举委员会的工作由谁主持,本法没有规定。从以往的实践来看,一般是由村党支部或原村民委员会主持。

## 二、村民选举委员会的组成和回避

本条第二款规定,村民选举委员会由主任和委员组成。至于成员的具体人数，本法没有规定。一般根据村的规模大小、村民多少和选举工作量的情况决定。实践中，有的地方规定由三至七人组成，也有的地方规定由五至九人组成等。为了在开展选举工作时，按照少数服从多数的原则讨论决定事项，村民选举委员会成员一般应为单数，村民选举委员会在其成员中推选一人为主任主持工作。

在2010年村民委员会组织法修订过程中，一些常委会组成人员、地方、部门和社会公众提出，为保证选举的公平、公正，建议规定村民选举委员会成员的回避制度。常委会采纳了这一意见，增加规定："村民选举委员会成员被提名为村民委员会成员候选人，应当退出村民选举委员会。"之所以作这样的规定，是因为，村民选举委员会是村民委员会选举的主持者和组织者，在选举工作中负有十分重要的职责，如审查村民选举资格，公布村民名单，组织村民提名候选人，根据投票结果公布正式候选人名单，确定、公布选举日期、地点，主持投票选举，监督选举过程，确定选举结果是否有效，公布选举结果等，村民选举委员会对于选举工作的正常组织发挥着十分重要的作用。村民选举委员会的组成人员如果被推荐为村民委员会成员的候选人，那么，其既是选举的参与者与竞争者，又是选举工作的组织者，既是裁判员，又是运动员，不符合公平、公正的原则，也会使村民对选举的公平性与公正性产生疑虑。因此，为避免身份的重合与冲突，保证选举的公平公正，村民选举委员会的组成人员被提名为村民委员会成员候选人的，不宜继续担任村民选举委员会的职务，应当辞去村民选举委员会成员的职务，并及时增补他人。

## 三、村民选举委员会出缺的处理

村民选举委员会是选举工作的组织机构，在选举期间有大量的工作需要去做，每一名成员都要分担一定的任务。有时，由于其成员不愿或不能从事作为村民选举委员会成员职责范围内的事情，比如被提名为村民委员会成员候选人，或因病无法正常工作，或本人不再愿意做这项工作等，就会造成村民选举委员会出现缺额。对于缺额的补充，本条第四款作了明确规定，村民选举委员会成员退出村民选举委员会或者因其他原因出缺的，从原推选结果中依次递补，也可以另行推选。至于另行推选时采取村民会议、村民代表会议、各村民小组会议中的哪一种形式，可根据实际情况确定。

## 四、村民选举委员会的性质和职责

根据本条的规定，村民委员会的选举由村民选举委员会主持。这就意味着，村民选举委员会是主持村民委员会选举的唯一合法机构，其他任何机构和组织都无权主持村民委员会的选举。

村民选举委员会是一个临时性机构，而不是常设机构，本次村民委员会换届选举工作完成后，这个机构就不复存在。本法第二十条规定，村民委员会应当自新一届村民委员会产生之日起十日内完成工作移交，工作移交由村民选举委员会主持。因此，一般村民选举委员会从村民委员会完成工作移交后解散。实践中，也有的地方的村民选举委员会行使职权到新一届村民委员会召开第一次会议为止。

根据村民委员会选举的实践经验看，村民选举委员会的主要职责有：(1)制定选举工作方案，组织村民学习法律、法规及有关文件；(2)组织培训选举工作人员；(3)进行村民登记，审查村民选举资格，公布登记参加选举的村民名单，受理关于村民名单异议的申诉，并作出处理决定；(4)组织提名候选人，公布正式候选人名单；(5)确定选举日期、地点和投票方法；(6)组织投票选举，确定选举结果是否有效，公布选举结果，并报乡镇人民政府备案；(7)总结选举工作，整理和建立选举工作档案；(8)办理选举工作中的其他事项。

五、做好推选村民选举委员会成员的工作应注意的几个问题

村民委员会换届选举工作,须遵守严格的法律法规规定,政策性强,选举的具体组织工作非常复杂,有些工作难度还很大,推选村民选举委员会成员的工作十分重要。在推选村民选举委员会成员时,要注意以下几个问题:一是村民选举委员会成员应有较高的素质。应当把有威望、有能力、坚持原则,熟悉本村情况并乐于为村民服务的人推选出来。二是村民选举委员会成员结构应当合理。要有一定的代表性,既要有村干部,更要有普通村民;既要有本村党组织和其他群众组织的代表,也要有村民小组长和村民代表,还要有老党员和老干部。三是推选村民选举委员会成员的工作要规范。如果是召开村民会议、村民小组会议以投票的形式推选,要参照正式选举的程序,统一推选时间,也可以设立秘密写票处,要当场唱票、计票,宣布推选结果。村民小组推选结束后,应当将各村民小组密封的票箱集中,并在村民代表会议上唱票、计票,宣布推选结果。如果是召开村民代表会议推选,也应按照村民代表会议的议事程序进行。四是村民委员会成员正式候选人不能担任村民选举委员会成员。凡被推选为村民选举委员会成员的村民委员会正式候选人,应当辞去村民选举委员会的职务,并及时增补他人。五是及时公布村民选举委员会名单。村民选举委员会一经推选产生,就应及时向全体村民公布,一般还要将组成人员名单报乡镇人民政府备案,接受县、乡选举工作机构的指导。

**第十三条　年满十八周岁的村民,不分民族、种族、性别、职业、家庭出身、宗教信仰、教育程度、财产状况、居住期限,都有选举权和被选举权;但是,依照法律被剥夺政治权利的人除外。**

**村民委员会选举前,应当对下列人员进行登记,列入参加选举**

**的村民名单：**

**（一）户籍在本村并且在本村居住的村民；**

**（二）户籍在本村，不在本村居住，本人表示参加选举的村民；**

**（三）户籍不在本村，在本村居住一年以上，本人申请参加选举，并且经村民会议或者村民代表会议同意参加选举的公民。**

**已在户籍所在村或者居住村登记参加选举的村民，不得再参加其他地方村民委员会的选举。**

**【释义】**　本条是关于村民选举权和被选举权及村民登记的规定。

一、村民具有选举权和被选举权的条件

选举权和被选举权是公民享有的基本政治权利。我国是社会主义国家，社会主义国家的本质特征是人民当家做主，在农村则是村民当家做主。村民当家做主的主要标志是村民普遍享有选举权和被选举权。本条对村民的选举权和被选举权作了规定，不仅体现了我国选举的普遍性原则，也表明我国实现了村民真正当家做主。

村民的选举权，是指村民依法参加村民委员会选举的权利；村民的被选举权，是指村民可以被依法提名为候选人，被选为村民委员会成员的权利。本条第一款规定了村民享有选举权和被选举权应当具备的三个条件：

第一，年龄条件，即必须年满十八周岁。年满十八周岁，具有选举权和被选举权，是我国宪法的规定。为什么规定年满十八周岁的人才享有选举权利？因为选举权与被选举权是村民参与自治的一项基本权利，需要有一定的社会经验和参与社会生活的能力。年满十八周岁，公民的生理与心理发育趋于成熟，已具备独立思考和判断能力，能够以自己的行为行使法律规定的权利，履行法律规定的义务，是完全民事行为能力人。确定村民年龄的时间，以本村村民委员会的选举日为准。因为,选举日是村民行使选举权利、投票表决的时间,在选举过程中,选举日一经确定一般不能随意改变,以选举日作为计算确定村民年龄的时间,便于选举机构组织选举,也便于村民参加选举。

第二,属地条件,即应当是登记参加选举的村民。对于本村村民的界定,本法没有规定。通常认为,居住生活在本村,户口在本村的村民,属于本村村民。随着我国经济社会的发展,人口流动、人户分离的现象越来越多。有的村民长期在外工作、生活,但户籍还在原居住地的村;有的人户籍不在本村,但在本村居住,情况多种多样。这些人是否属于本村村民,能否参加当地村民委员会的选举,本条第二款予以具体规定。

第三,政治条件,即未被剥夺政治权利。选举权利是一项神圣的权利,是公民参与管理国家的重要形式。被剥夺政治权利的人通常包括危害国家安全及其他严重破坏社会秩序的犯罪分子,这些人对国家、社会和人民构成了极大的危害,当然不能享有公民政治权利而拥有选举权和被选举权。

村民具备上述三个条件就享有选举权和被选举权,不论他是哪个民族、是男是女,信仰什么宗教,教育程度和经济状况如何。也就是说,村民的选举权不因村民天生差别和后天经济、教育等条件造成的差异而受到影响。这对于每个公民来说体现了选举权的平等性,而对社会来说体现了选举权的普遍性。

## 二、村民登记的具体情形

村民登记是指村民选举委员会对依法享有选举权的村民进行登记,以便参加投票选举的一项选举制度。符合本条第一款的三个条件,享有选举权利的村民,还要按照一定的程序履行登记手续,经村民选举委员会确认其选举资格,即所称的"有选举权和被选举权的村民"。村民登记的实质是对村民选举权的确认,是将村民在法律上享有的选举权转化为实际上能够行使的选举权的必经程序和环节，是选举工作中一项非常重要的程序。

过去，我国经济社会不发达，人员流动少，村民基本在本村居住，村民委员会选举主要以户籍制度为基础进行村民登记。所以，1987 年村民委员会组织法(试行)和 1998 年的村民委员会组织法只规定除被剥夺政治权利的人，都有选举权和被选举权。随着我国经济社会的发展，人口的流动日益频繁，规模不断加大，许多城市人口到农村工作，农村人口外出工作，也有农村人口在农村的不同地域流动，“人在户不在”“户在人不在”的人户分离现象越来越普遍，在农村居住的人口呈现多样化。据调研情况反映，目前村民实际上包括以下几类人员：一是长期居住生活在本村，具有本村农业户口的村民；二是长期居住在外，具有本村农业户口的村民，俗称“空挂户”；三是长期居住在本村，履行村民义务，但户籍不在本村的人员，如“外嫁女”；四是不在本村居住，户籍也不在本村，但在本村集体经济组织参与分配的人员；五是户口在且居住在本村，但无权在本村集体经济组织参与分配的后迁入人员，如投亲靠友，80 年代村办企业滞留人员、国家移民、土地征收安置等“新户”；六是非农户，户口不在本村但在本村居住，无权参加本村集体资产分配，如退休的城镇职工、下岗人员迁入农村居住的。2008 年 10 月，十七届三中全会通过的《中共中央关于推进农村改革发展若干重大问题的决定》中指出，加强农村基层干部队伍建设，着力拓宽农村基层干部来源。注重从农村致富能手、退伍军人、外出务工返乡农民中选拔村干部。引导高校毕业生到村任职，实施一村一名大学生计划。鼓励党政机关和企事业单位优秀年轻干部到村帮助工作。根据中央的这一精神，许多地方配备了“大学生村官”，一些户籍不在本村的党政机关干部等也任职为“村官”。但对于在什么情况下的村民可以参加村民委员会的选举，社会各界一直争论不断，观点也不同，成为村民委员会选举工作中的重大课题。

对于在何地登记问题,有的认为应当以户籍地为准;有的认为应当以户籍地、居住地一致为准。在专家座谈时,有的专家认为,允许户籍不在本村的公民登记参选,可以吸引更多的优秀人才参与村民自治,为乡村治理带来新鲜血液;有的专家认为,如果赋予户籍不在本村的公民选举权,可能会冲击本村村民的选举权。对于登记的条件,有的提出,村民在居住地进行登记需履行一定程序,如需经户籍所在地村民委员会出具选民资格证明和未在户籍所在地登记的证明;有的提出,要经村民会议或村民代表会议讨论同意;有的提出,对在居住地进行登记的,要对本村做出贡献;有的提出,可以授权省级人大常委会根据实际情况作具体条件规定。各地在村民委员会选举的实践中也对登记办法进行了探索,有的地方将对有资格参加选举的"选民"的范围与传统的"村民"概念适度分离;有的地方提出并使用了"本届选民"的概念。一些地方规定了村民可以在居住地进行登记的具体情形。

村民资格的认定,既要能保障本村村民的利益不受损害,又要能使长期居住在村的外来人口获得正当参与村公共事务决策的权利。如果仅以户籍所在地作为确定村民是否具备参选资格的唯一标准,或仅凭户籍或者居住时间长短来认定村民资格,显然不能适应现实需要,必然会影响户口不在当地的人参与村中事务的积极性,不利于当地经济发展和社会进步。对于这一问题,从 2002 年以来,在几次村民委员会的换届选举中,中办、国办都下发关于指导村民委员会换届选举工作的通知,指出应积极开展调查研究,认真研究城镇化、户籍制度改革、人口流动等给村民登记工作带来的新情况、新问题,摸清本地区社会结构变化、人口流动、基层干部思想状况等社情民意,增强选举方案的指导性和针对性。加强与外出务工经商人员联络沟通,妥善解决他们依法行使选举权和被选举权问题。因此,要完善村民登记办法,使"登记参加选举的村民"的范围适应新形势的发展和变化,保证广大村民群众都能依法行使自己的选举权利。2010 年修订村民委员会组织法,对登记参加选举的村民作了明确规定。

关于村民登记的条件,本条第二款规定了三种情形:

第一,户籍在本村并且在本村居住的村民。我国目前对人口的管理主要还是以户籍进行管理,目前各地在村民委员会换届选举时,主要还是以户籍为基础,将有选举权的村民登记为选民,即具有选举资格的村民一般在户籍所在地的村进行登记,所以,这次修订村民委员会组织法规定,户籍在本村并且在本村居住的村民,列入参加选举的村民名单。

第二,户籍在本村,不在本村居住,本人表示参加选举的村民。户籍在本村但不在本村居住的村民,如果不在居住地参加选举,愿意回户籍所在的村参选,可以登记为本村参加选举的村民。但对于明确表示不回户籍所在地的村参选的,村民选举委员会可以不予登记,这是为了尊重这一部分人自己的意愿;同时,也减少了选举组织工作的难度。

第三,户籍不在本村,在本村居住一年以上,本人申请参加选举,并且经村民会议或者村民代表会议同意参加选举的公民。本项对“人在户不在”进行登记的条件作了规定:一是在本村居住一年以上。在村民委员会组织法修订过程中,有的常委委员、地方和村民代表提出,规定在本村居住一年以上即可登记参选,实际操作有随意性,容易引起村民之间的矛盾,可能造成这个人参加选举对我有利就同意其参选;反之,就不同意其参选的现象。有的常委委员和地方认为,现在农村需要引进人才致富,规定居住一年能参选,不能解决人才引进和“大学生村官”问题,建议放宽参选的居住条件。立法时,对此进行了研究。实践中,各地多数规定在本村居住一年可以申请在居住地登记参加选举。而且村民委员会三年一换届,在村中居住一年,可以对村的基本情况有所了解,很多人与本村也有了利益关系,因此,2010 年修订村民委员会组织法规定了一年的居住期限。二是本人提出申请。只有本人愿意在非户籍地登记,主动要求参加本村选举,村民选举委员会才能予以考虑。这一规定是为了尊重这部分人自己的意愿,也是为了减小组织工作的难度。三是经村民会议或者村民代表会议同意参加选举。将在非户籍地登记的决定权交给村民会议或村民代表会议,是因为非户籍地登记问题情况比较复杂,涉及村中诸多事项,法律难以逐一作出规定,需要由村民自己决定。在选举过程中反复召开村民会议比较困难,本法还规定可由村民代表会议讨论决定这一事项。实践中,户籍不在本村但在本村居住的情况有多种,如原为本村村民,由农业户口转为非农业户口后仍居住在本村,并且履行村民义务的;结婚后未办理户口迁移在配偶所在地的村居住的;原籍在本村的大学毕业生、转业军人回村的非农业人口;原籍在本村退休后回村居住的人,等等。至于村民会议或者村民代表会议对申请人的申请同意的方式,可以采用举手表决,也可以采用投票表决等方式。此项规定,为确认村民的选举资格和"大学生村官"计划留出了空间,通过这一途径,可以组织一些优秀的青年人才到农村去任职,解决目前农村中人才流失的局面,也可以落实国家在农村引进人才、保留人才的措施。

在2010年村民委员会组织法修订过程中,有的常委委员和部门提出,实践中,有的村民户籍在本村但在其他村居住,在两地都进行登记,选举时重复投票。有的候选人为了当选,把两地的村民拉过来投票,影响投票结果,建议规定相关措施,防止在户籍地和居住地同时登记参加选举的情况。我国公民的选举权是平等的,即享有选举权的主体实现权利的机会是平等的,每一选民在同一次选举中只有一个投票权;在相同的选举中,每个公民只能有一个被选举权。在村民委员会的选举中,不能因为村民的户籍地与居住地不同,就赋予他几个选举权和被选举权。为了防止村民在户籍地和居住地重复登记参加选举,本条第三款规定,已在户籍所在村或者居住村登记参加选举的村民,不得再参加其他地方村民委员会的选举。实践中,为了禁止村民两地登记参选,有的地方还规定,村民在申请参加选举登记时,应当出示户籍所在地村民委员会出具的未在户籍地登记的证明。

三、做好村民登记工作需要把握的几个问题

村民登记是村民委员会选举工作中一项非常重要的程序,是一项严肃的工作,村民只有通过登记,并被列入参加选举的村民名单,才在事实上取得选民资格,才能参加投票选举。因此,在每次村民委员会的换届选举时,村民选举委员会应认真做好村民的登记工作,做到不错登、不漏登、不重登,保证登记的准确性,不能让任何一个有选举权的村民因登记工作失误而被剥夺了选举权利,同时也绝不能让一个不应该享有选举权利的人享有选举权利。

在村民登记工作中,要注意以下几个问题:一是做好宣传动员工作。在村民登记阶段,村民选举委员会可以采取多种群众喜闻乐见的形式,宣传介绍民主选举的意义,激发村民参选的热情,调动村民积极进行登记,变"要我选"为"我要选",为搞好选举工作奠定基础。二是确定和培训村民登记工作人员。根据各地的实践经验,一般在村民登记时,村民选举委员会都要先确定村民登记工作人员,登记员从本村村民中挑选,一般应具有一定的文化水平,懂得一定的法律知识,熟悉本村村民情况,工作态度认真。登记员确定后,由村民选举委员会对他们进行培训,学习有关登记方面的法律、法规和政策的规定,明确登记的任务、方法、时间、要求和注意事项。三是把握好村民登记的资格条件。确认村民的选举资格是进行村民登记的前提条件。按照本条规定,凡年满十八周岁、未被剥夺政治权利的村民,均享有选举权和被选举权。同时,按照本条第二款的规定,确定参加本次村民委员会选举的村民名单。对于村民年龄的确定,以本村村民委员会的选举日为准;村民出生日期的确定,以身份证为准;新满十八周岁未办理身份证的,以户口簿为准。确认是否被剥夺政治权利,以司法机关的法律判决文书为准。关于精神病患者的选举权利问题,本法没有规定,可参照选举法的规定,精神病患者不能行使选举权利的,经村民选举委员会确认,不列入村民名单。这是维护选举权的严肃性,是在肯定精神病患者享有选举权和被选举权的前提下,把权利能力和行为能力适当分开,不是剥夺精神病患者的选举权。四是掌握村民登记的办法。根据以往村民委员会换届的经验,有的地方采用设立登记站,村民到站主动登记的办法;有的地方采用由工作人员挨家挨户上门登记的办法。因经登记确认的选民资格长期有效,一些地方在村民委员会换届选举时,在上一次村民登记的村民名单的基础上,采取"三增三减"或"四增四减"的方法,对从前一次村民登记后至本届选举日,发生变化的村民进行补充登记和除名。增加的人员主要有新满十八周岁的村民,新迁入本村具有选民资格的村民,因婚姻、家庭等关系住进本村并履行相应法律程序获得选民资格的村民,被剥夺政治权利期满后恢复政治权利的村民等。减去的人员主要有迁出本村的选民,包括迁户的现役军人和大、中专院校学生;因婚姻、家庭等关系迁出本村的选民;依法被剥夺政治权利的村民;死亡的村民等。村民登记工作量比较大,要做扎实细致的工作,不论采取哪种登记办法,村民选举委员会必须在登记后进行认真审核确认,做到准确无误。一些地方在进行村民登记后,还制作登记名册,以便备查、存档。一些地方在审核确认村民名单后,还向村民发放选民证。

**第十四条　登记参加选举的村民名单应当在选举日的二十日前由村民选举委员会公布。**

**对登记参加选举的村民名单有异议的,应当自名单公布之日起五日内向村民选举委员会申诉,村民选举委员会应当自收到申**

**诉之日起三日内作出处理决定，并公布处理结果。**

**【释义】** 本条是关于村民名单公布和村民名单异议处理的规定。

一、村民名单的公布

公布登记参加选举的村民名单具有重要意义。本村内谁有参加村民委员会选举的资格，谁没有资格，通过村民名单予以确认。

有选举权和被选举权的村民，经村民选举委员会登记确认列入村民名单。关于村民名单公布的时间，1987 年通过的村民委员会组织法（试行）没有作出规定。1998 年在村民委员会组织法的制定过程中，国务院提请全国人大常委会审议的修订草案中规定："在村民委员会选举前，应当公布有选举权和被选举权的村民的名单"。在当时的审议和征求意见过程中，有些常委委员、部门、地方和群众提出，民主选举是村民自治活动中的重要问题，关系到农村的稳定、基层自治的成败。广大农民最担心的是走过场。认为草案对选举工作规定得过于原则，要求明确规定选举的基本程序，提出对于在选举前公布村民名单增加必要的时限规定。因此，将该规定修改为："有选举权和被选举权的村民名单，应当在选举日的二十日以前公布"。为什么规定二十日的期限？这是因为，确定了选举日，才能进行选民登记；经登记确认选民资格之后，才由选民酝酿、讨论、提名候选人及确定正式候选人。从选民登记到确定村民委员会正式候选人，需要一个过程。如果这个过程时间太短，不利于村民提名候选人。根据多年来村民委员会选举的实践经验，认为这个过程以二十日为宜。所以，1998 年的村民委员会组织法作了二十日的规定。2010 年修订村民委员会组织法对村民名单公布的时间未作修改。

规定村民名单应在选举日的二十日以前公布，一是使村民能有充分时间对登记参加选举的村民名单提出申诉，并由村民选举委员会进行处理；二是为了使村民有充分的时间酝酿、讨论村民委员会成员的候选人；三是对于被提名为村民委员会候选人的村民，可以有时间向村民介绍自己的情况。

二、对村民名单异议的处理

选举资格由村民选举委员会确认并公布于村民名单上，如果村民名单出现错误，就可能使本来享有选举权利的村民失去参加选举的机会，也可能使本来无权参加选举的村民获得了本不该享有的选举权，就会使得选举这样重大的政治活动失去严肃性。

对于公布的村民名单有异议的，本条规定了向村民选举委员会申诉的救济途径。即对于公布的登记参加选举的村民名单有异议的，应当自名单公布之日起五日内向村民选举委员会申诉。这一内容在1987年的村民委员会组织法（试行）和1998年的村民委员会组织法中未作规定，是这次修订村民委员会组织法时增加的规定。由于村民登记是一项十分复杂的工作，规定对村民名单有异议的处理，就是让村民对村民登记进行监督。村民如有异议或发现纰漏，要及时向村民选举委员会提出。村民选举委员会对村民提出的异议，要及时处理，认为没有异议的，向村民作出解释；确有问题的，要进行核实和纠正。

关于对登记参加选举的村民名单有异议提出申诉的时间，本条第二款规定应当自名单公布之日起五日内向村民选举委员会提出。这主要是考虑，按照本条第一款的规定，登记参加选举的村民名单应当在选举日的二十日前由村民选举委员会公布。也就是说，从公布村民名单到进行投票选举，只有二十天的时间。在这二十天时间里，如果有村民对村民名单有不同意见，可以向村民选举委员会提出申诉，村民选举委员会还要作出处理决定。如果不对村民提出申诉的期间作出规定，则有可能出现直到选举日前几日才提出申诉意见的情况，村民委员会可能就没有时间作出处理决定,就不能按法律规定完成救济程序,或作出处理决定的时间很紧张,村民也就没有更多的时间酝酿、讨论、提出候选人,村民的实体权利和程序权利就得不到保障。因此,规定村民在村民名单公布之日起五日内提出申诉,是必要的。关于提出异议的时间,这次国务院提请全国人大常委会审议的村民委员会组织法修订草案规定“应当自名单公布之日起三日内向村民选举委员会申诉”。在常委会审议时,有些常委委员提出,对登记参加选举的村民名单提出异议,三日的申诉期限较短,建议适当延长。全国人大法律委员会经同全国人大内务司法委员会、国务院法制办、民政部研究,将申诉期限修改为“自名单公布之日起五日内”。

村民委员会组织法没有明确规定在哪些情况下村民可以就村民名单提出异议,并提出申诉。从实践的情况看,申诉人可以就以下三种情况提出不同意见并申诉:(1)申诉人认为自己应当被列入村民名单但没有被列入;(2)申诉人认为第三人应当被列入村民名单而没有被列入;(3)申诉人认为第三人不应当被列入村民名单而被列入。

村民选举委员会接到村民的申诉后,应当在三日内作出处理决定。由于从公布村民名单到投票日只有二十天的时间,村民从村民名单公布之日起五日内提出申诉,到选举日只有十五日的时间,如果不规定村民选举委员会处理申诉的时间,在选举日前,村民的申诉就可能不能处理完毕,村民的权利将得不到保障。因此,本条规定了村民选举委员会处理申诉的时间。村民选举委员会必须抓紧时间及时处理申诉意见,并公布处理结果。村民选举委员会认为申诉无理的,应当驳回;认为申诉有理的,应当变更选民名单,有遗漏的应当补充,没有选举权但列入村民名单的应当除去。

**第十五条 选举村民委员会,由登记参加选举的村民直接提名候选人。村民提名候选人,应当从全体村民利益出发,推荐奉公**

**守法、品行良好、公道正派、热心公益、具有一定文化水平和工作能力的村民为候选人。候选人的名额应当多于应选名额。村民选举委员会应当组织候选人与村民见面,由候选人介绍履行职责的设想,回答村民提出的问题。**

**选举村民委员会,有登记参加选举的村民过半数投票,选举有效;候选人获得参加投票的村民过半数的选票,始得当选。当选人数不足应选名额的,不足的名额另行选举。另行选举的,第一次投票未当选的人员得票多的为候选人,候选人以得票多的当选,但是所得票数不得少于已投选票总数的三分之一。**

**选举实行无记名投票、公开计票的方法,选举结果应当当场公布。选举时,应当设立秘密写票处。**

**登记参加选举的村民,选举期间外出不能参加投票的,可以书面委托本村有选举权的近亲属代为投票。村民选举委员会应当公布委托人和受委托人的名单。**

**具体选举办法由省、自治区、直辖市的人民代表大会常务委员会规定。**

**【释义】** 本条是关于村民委员会选举程序的规定。

在村民自治过程中,村民委员会成员的民主选举是最为关键的一个环节,而村民委员会选举程序,又是选举中极为重要的问题。这次修订村民委员会组织法,根据以往村民委员会选举的实践经验,增加了关于提名要求、候选人介绍、另行选举、委托投票等方面的规定,对选举程序作出进一步规范和完善。

一、候选人的提名

1. 提名候选人的主体

提名候选人,是村民委员会选举过程中十分重要的一个环节,直接关系到候选人是否真正体现民意,关系到选举是否民主,也关系到新一届村民委员会的素质与权威。村民委员会选举提名候选人的方式，与我国其他法律规定的选举提名候选人的方式有所不同。我国的选举法和地方组织法规定，选举人大代表和选举国家机关领导人时，提名候选人的方式主要有以下几种：一是由政党、人民团体提名推荐，如选举法规定，各政党、各人民团体，可以联合或者单独推荐全国和地方各级人民代表大会的代表候选人；二是由选民或代表联名推荐，如选举法规定，选民或者代表，十人以上联名，可以推荐全国和地方各级人民代表大会的代表候选人；三是由本级人民代表大会主席团提名，如地方组织法规定，本级人民代表大会主席团可以提名县级以上的地方各级人大常委会的组成人员、人民政府领导人员、人民法院院长、人民检察院检察长的候选人。

根据本条的规定，选举村民委员会，由本村有选举权的村民直接提名候选人。也就是说，只有本村有选举权的村民才能提名候选人，其他任何机关、团体和个人都无权提名村民委员会成员候选人。村民直接提名候选人，可以由村民个人提名候选人，也可以由村民联合提名。由村民个人提名候选人，俗称“海选”，由吉林省梨树县率先实行。所谓“海选”，就是由每个村民完全凭自己意愿采用投票的方式提出候选人，以得票多的作为正式候选人，然后进行正式投票。由村民联名提出候选人，即由村民采用联合署名的方式提出共同候选人。

2. 差额选举

根据本条规定，村民委员会选举实行差额选举，候选人的名额应当多于应选名额。这一规定可以使村民在选举中对候选人进行比较，选出他们最为满意的人，保证村民充分行使民主权利。在这里应当注意的一个问题是，对村民委员会主任、副主任和委员的候选人，应当分别规定差额数。举例来说，如果选举村民委员会成员七人，主任、副主任各一人，委员五人，那么主任和副主任的候选人应分别为二人以上，委员的候选人应为六人以上，对村民委员会主任、副主任和委员的候选人只笼统规定一个差额数的方法是违反法律规定的。本法未规定具体的差额幅度,实际中,有的地方性法规规定,村民委员会主任、副主任、委员正式候选人数应当分别多于应选名额一至二人,按照获得选民提名的票数多少确定;有的规定,村民委员会主任、副主任的正式候选人应当分别比应选名额多一人,委员的正式候选人比应选名额多一至三人。

3. 确定正式候选人

由村民直接提名候选人,如提出的候选人过多,为保证正式投票选举时票数相对集中,保证投票的顺利进行,可以采用预选的方式确定正式候选人。所谓预选,就是将所有候选人都列入预选名单,由村民进行无记名投票,然后以得票多的为正式候选人,再正式投票选举。经过预选确定的正式候选人必须多于应选人数,实行差额选举。实际中,各地组织提名候选人,一般采取以下几种方式:一是由村民选举委员会召开提名大会,组织本村过半数的选民按照村民委员会主任、副主任、委员职数,等额填写候选人提名表,当场公开监票、唱票、计票;二是以村民小组为单位召开提名会议,组织本组过半数的选民按照村民委员会主任、副主任、委员职数,等额填写候选人提名表,汇总后,由村民选举委员会主持并在过半数的村民代表监督下集中监票、唱票、计票;三是由村民选举委员会设立投票站,村民委员会成员候选人直接通过预选产生;四是村民直接提名候选人后,如候选人的人数超过规定差额数的,由村民选举委员会召开村民会议或者村民代表会议决定是否预选。决定预选的,以无记名投票方式进行预选,按得票多少确定正式候选人名单。决定不预选的,被提名的候选人即为正式候选人。

## 二、对候选人的要求

选举权的普遍原则是我国选举制度的一项基本原则,这一原则不仅适用于人大代表的选举,也适用于村民委员会选举。根据本法规定，在村民委员会选举中，村民取得选举权的条件只要求为本国公民、已经成年、享有政治权利，并且经过登记，列入参加选举的村民名单。但在以往的村民自治实践中，有的地方出于宗族势力、经济利益等原因，将一些素质不高、能力不强的人选为村民委员会成员，对村民委员会的工作产生了不利的影响。为此，这次修订村民委员会组织法，增加了关于提名候选人的要求的规定，要求村民在提名候选人时，应当从全体村民利益出发，推荐奉公守法、品行良好、公道正派、热心公益、具有一定文化水平和工作能力的村民为候选人。这一规定是对提名候选人时提出的倡导性要求，提示村民提名要从全体村民的利益出发，将眼前利益与长远利益结合起来，全面考察候选人的德与才，选出最有利于本村治理的人员。

三、候选人介绍

为了让参加投票的村民对候选人有充分的了解，有必要对候选人进行介绍，以避免由于不了解候选人而盲目投票。根据一些地方的实践经验，这次修订村民委员会组织法，增加了对候选人进行介绍的规定。根据本条的规定，一是要求村民选举委员会应当组织候选人与村民见面。村民选举委员会组织候选人与村民见面，应当按照平等、客观、公正的原则，向村民介绍候选人的情况；二是候选人应当向村民介绍履行职责的设想，一般来说，村的范围不大，村民与候选人均生活在一个社区，相互之间比较了解熟悉，因此，候选人作介绍，不是对其一般情况的介绍，而要着重介绍履行职责的设想，便于村民在不同候选人之间进行比较，作出选择。候选人在宣传和介绍自己时要实事求是，必须遵守法律、法规和国家的政策，不得对其他候选人进行诋毁；三是候选人应回答村民提出的问题，对于村民关心的其他问题，候选人也应作出应答，以便村民能够进一步了解情况。

四、投票程序

1. 村民委员会选举实行“双过半”原则

根据本条的规定，选举村民委员会成员，遵循“双过半”的原则，即有登记参加选举的村民过半数投票，选举有效；候选人获得参加投票的村民的过半数的选票，始得当选。

2. 另行选举

修改前的村民委员会组织法，对另行选举未作明确规定，因此，要求另行选举时当选的得票数也要过半数。考虑到以往有的村民委员会选举经过数轮投票，村民委员会成员仍无法产生的实际情况，为保证选举的顺利进行，这次修订增加了关于另行选举的规定，即当选人数不足应选名额的，不足的名额另行选举。另行选举时，第一次投票未当选的人员得票多的为候选人，候选人以得票多的当选，但是所得票数不得少于已投选票总数的三分之一。这一规定也与选举县、乡人大代表时，另行选举所要求的当选票相一致。需要注意的是，另行选举的情形，既包括应选代表名额没有选满，也包括一个代表名额也没有选出的情况，即所有的候选人所得选票均未超过半数时，也要进行另行选举。

3. 投票方式

根据本条的规定，村民委员会选举应采取无记名投票的方式，而不能采取其他方式，以保证村民充分行使选举的权利。村民在填写选票时，可作出四种选择：一是可以投赞成票，但赞成的人数不能超过应选名额，否则无效；二是可以投反对票，选举人对选票上所列候选人可以部分反对，也可以全部反对；三是可以另选他人，选举人可以对全部候选人不同意而另选他人，也可以对部分候选人不同意而另选他人；四是可以弃权，选举人可以对全部候选人弃权，也可以对部分候选人弃权。

根据本条的规定，投票结束后，应当进行公开计票。所谓公开计票，也就是计票的过程应是公开的，而不是秘密的。计票时应当设有由村民推选的监票人和计票人。

根据本条的规定，选举结果应当当场公布。由于村民委员会选举范围不大，选举时一般要召开选举大会，为保证选举的公开性，选举结果应当当场公布。这一规定，一方面，可以保证村民对选举进行监督，防止有人在会后擅自更改选举结果；另一方面，如果需要进行另行选举，也可以当场进行，以便节省时间。

根据本条的规定，选举时，设立秘密写票处。这一规定，主要是由于选举村民委员会成员时，村民之间都比较熟悉，如果不设立秘密写票处，在其他村民在场的情况下，有些村民可能碍于情面或其他原因，不能在选票上写上真正想选的人，从而妨碍其行使选举权。因此，在选举时，设立秘密写票处是必要的。秘密写票处的地点没有什么过多的条件限制，只要能方便村民秘密填写选票即可，因此设立秘密写票处在村民委员会选举时是完全能够做到的。

4. 委托投票

选举是公民行使民主权利的最直接形式。在正常情况下，选民一般都应在选举日亲自去参加投票活动。如果因客观情况，不能亲自参加选举，作为一种补救性措施，可以委托他人代为投票。委托投票的初衷是解决外出选民行使选举权的问题，但在操作过程中，委托投票在有的地方也出现了一些问题，如有的一人代投十几张甚至更多选票，有的委托人没有填写过委托书，受托人也不按委托人的意愿投票，甚至为贿选所利用。因此，对委托投票必须依法严格掌握。根据本条的规定，委托投票应符合以下三个条件：第一，委托投票的原因是选民在选举日期间外出不能亲自参加选举，而不能因为其他原因。如选民因患有疾病行动不便，或者居住分散交通不便，可以在流动票箱投票；选民如果是文盲或者因残疾不能写选票的，可以委托他人代写选票，而不适用委托投票。第二，委托必须以书面的方式。委托人必须书写委托书，写明委托何人代为投票，被委托人凭委托人的委托书代其投票，如果仅凭口头委托,则委托无效。第三,被委托人必须是本村有选举权的近亲属。如果委托没有选举权的人或近亲属以外的其他人,则委托无效。另外,为保证选举的真实性,在进行委托投票时,被委托人应当按照委托人的意愿代为投票,不能按照自己的意愿代为投票。此外,这次修改村民委员会组织法增加规定,村民选举委员会应当公布委托人和受委托人的名单。公布委托投票情况,一方面有利于选举委员会及时分析投票情况,另一方面也有利于村民对选举进行监督。为此,村民选举委员会应当在投票结束后,将委托投票情况及时予以公布。

五、关于具体选举办法

本法对村民委员会的选举作出了规定,但对于正式候选人的确定办法、差额选举的具体差额数等具体选举程序,没有作出规定。这主要是考虑到我国各地情况不同,在许多具体办法上难以作出统一规定。因此,村民委员会组织法规定,具体选举办法由省、自治区、直辖市的人大常委会规定。在村民委员会组织法实施过程中,一些地方性法规对这些问题已经作出了规定。在村民委员会组织法重新修订以后,各地应根据本法的规定和原则,对原来的规定进行修改和完善。

**第十六条　本村五分之一以上有选举权的村民或者三分之一以上的村民代表联名,可以提出罢免村民委员会成员的要求,并说明要求罢免的理由。被提出罢免的村民委员会成员有权提出申辩意见。**

**罢免村民委员会成员,须有登记参加选举的村民过半数投票,并须经投票的村民过半数通过。**

**【释义】** 本条是关于罢免村民委员会成员的规定。

## 一、提出罢免要求的主体

罢免村民委员会成员是指村民对于其认为不称职或者不满意的村民委员会成员，在其任期届满前，以投票的方式免除其职务的活动。罢免权是村民行使自治权的一项重要权利。村民通过及时罢免其不满意的村民委员会成员，可以保证村民委员会能够真正代表村民的意志和利益，切实保障村民民主权利的行使，充分体现村民自治的民主管理和民主监督。

本条规定符合法定人数的村民或者村民代表可以提出对村民委员会成员的罢免要求。“罢免要求”是村民在村民委员会成员任期届满以前，要求解除其职务的动议。提出罢免要求，是对已经当选的村民委员会成员所作的免除职务的举措，与选举中提名村民委员会成员候选人不同，应格外慎重。因此，对村民提出罢免要求需要有一定的人数上的限制。根据本条第一款的规定，提出罢免村民委员会成员要求的法定主体，是本村五分之一以上有选举权的村民或者三分之一以上的村民代表。也就是说，需有本村五分之一以上有选举权的村民联名，或者三分之一以上的村民代表联名，才可以提出罢免村民委员会成员的要求。需要注意的是，这两个联名人数的法定要求满足其中一个即可，不需要同时提出。

“本村五分之一以上有选举权的村民”是指选举本届村民委员会成员时，在本村登记参加选举的村民的五分之一。根据本法第十三条第二款的规定，“在本村登记参加选举的村民”不仅包括户籍在本村并且在本村居住的村民，也包括户籍在本村、不在本村居住、本人表示参加选举的村民，以及户籍不在本村，在本村居住一年以上，本人申请参加选举，并且经村民会议或者村民代表会议同意参加选举的公民。只要是在本村登记参加选举的村民，不管属于上述三种情况中的哪一种，既然其有权参加选举并选举出了本届村民委员会成员，就同样享有对本届村民委员会成员提出罢免案的权利。因此，罢免和选举村民委员会成员的权利主体的范围是一致的，这样规定符合村民委员会组织法的民主自治精神，也体现了选举权和罢免权作为村民的民主权利的内在一致性。

“三分之一以上的村民代表”联名提出罢免要求，是2010年修订村民委员会组织法新增的规定。在修订过程中，许多意见反映，村民之间相互熟识，碍于面子和不得罪人的原因，较少有人愿意提出罢免要求。而与提出罢免的数量相比，实践中成功实现罢免的案例相对较少，其重要原因之一就是罢免设置的门槛太高。根据1998年村民委员会组织法的规定，罢免要求应由五分之一以上有选举权的村民联名提出，在一定程度上导致了罢免程序的启动难。为保障村民的民主权利，适当降低罢免的门槛，确保村民委员会成员的“出口”通畅，修订后的本条规定扩大了提出罢免的主体范围，除原来规定的五分之一以上的有选举权的村民可以提出罢免要求之外，增加规定三分之一以上的村民代表联名，也可以提出罢免村民委员会成员的要求，从而降低了村民行使罢免权的门槛，进一步完善了村民委员会的罢免程序。三分之一以上的村民代表联名提出罢免要求，相对于五分之一以上的有选举权的村民联名提出罢免要求来说，更容易实现。尤其是在外出打工人口较多的村，这一规定能更好地保障村民及时有效地行使罢免权，符合广大村民的根本利益。

需要注意的是，村民或村民代表联名提出罢免要求，必须是集体动议，而不是分头倡议。关于联名的形式，一般是一个人领衔提议，其他人附署签名，个人单独分别提出不能构成联名。原则上，罢免要求应当是书面的，即罢免对象、罢免理由、领衔人和附署人的签名都应是文字的，以避免罢免的随意性，保证罢免的公正和公平。

关于罢免向谁提出和由谁确认的问题，考虑到各地的情况不一，从充分尊重村民的民主自治权利出发，各地可根据实际情况在实施办法中予以规定，但要以充分尊重村民意愿和保障村民自治权利为原则,对符合罢免的法定要求的,应当充分尊重村民意愿,及时予以罢免。同时,要防止随意提出罢免的问题,尤其是要防止宗族势力或动机不纯的人,动不动就搞罢免,以维护罢免的严肃性和保持村民委员会的相对稳定,从而保障村民的根本利益。

## 二、罢免理由和申辩意见

根据本条第一款的规定,提出罢免要求应当写明罢免理由,这样规定:一方面体现了罢免的严肃性,不能随意罢免;另一方面也便于村民投票表决时将罢免理由作为其鉴别和判断的参考。实践中,罢免的理由主要有以下三种:一是村民委员会成员不称职的,如村民委员会成员无正当理由拒不履行为村民服务的职责或拒不协助乡(镇)政府开展工作;在村级重大事务决策和管理中违反程序,独断专行,以及因工作失误造成重大损失,或村务公开不及时、不全面、弄虚作假、侵犯农民民主权利等。二是村民委员会成员有违法违纪行为的,如违反治安管理处罚法、触犯刑律、损公肥私等。三是村民委员会成员在道德方面有问题的,如缺乏社会公德、道德品质败坏、损人利己等。以上三种理由不是必须同时具备,只要有其中一种或两种就可以。需要注意的是,罢免的理由不限于以上情形,只要村民对村民委员会成员不满意,有正当合法的理由,就可以提出罢免要求。

根据本条第一款的规定,被提出罢免要求的村民委员会成员有权针对罢免要求及其罢免理由,提出申辩意见。允许被罢免的村民委员会成员提出申辩意见,是民主原则的内在要求。既然村民有权提出罢免要求及其理由,根据权利对等的原则,同样的,被罢免的村民委员会成员也应有权针对罢免要求及其理由提出申辩意见。这是因为罢免要求被提出后,并不自然产生罢免的法律后果,而是要由多数的村民通过法定的民主程序进行表决,才能决定罢免的请求及理由是否成立。因此,被罢免的村民委员会成员提出申辩意见，有利于查明事实，保障其他村民在罢免投票程序中能够真正行使其民主权利，从而保证罢免的公正和公平，同时也是民主自治精神的一种体现。

村民委员会在收到罢免要求后，应当及时将罢免要求送被提出罢免要求的村民委员会成员，或者告诉其罢免要求的内容，以便其及时提出申辩意见。关于申辩的形式，可以提出书面的申辩意见，也可以在村民会议上进行口头申辩。申辩是多方面的，包括罢免理由的事实根据、主观动机、客观原因、危害后果的轻重、事后改正情况等。对村民委员会成员提出的申辩意见，也应当采取适当形式让村民了解和知晓，以便村民在投票表决罢免要求时作出正确的判断。

### 三、投票表决罢免要求

根据本条第二款的规定，在符合本条第一款规定的村民联名提出罢免要求及理由后，应当及时对罢免要求进行投票表决。2010 年修订村民委员会组织法的过程中，有的提出，1998 年村民委员会组织法规定村民委员会应当及时召开村民会议，投票表决罢免要求，相当于让村民委员会成员自己罢免自己，因此村民委员会往往消极不作为，导致长时间无法启动罢免的程序。因此，修订后的本条第二款取消了关于村民委员会召开村民会议投票表决的规定，避免出现因村民委员会自己罢免自己，而不积极组织表决罢免的投票，导致罢免难以启动的现象。

根据本条第二款的规定，投票表决罢免的程序与选举的投票程序基本相同。根据本法第十五条的规定，选举村民委员会，有登记参加选举的村民的过半数投票，选举有效；候选人获得参加投票的村民的过半数的选票，始得当选。同样的，根据本条第二款的规定，通过罢免决议，须有登记参加选举的村民过半数投票，并须经投票的村民过半数通过。这样规定，主要是考虑到，罢免不仅是村民监督村民委员会成员的一种手段,也是村民的选举活动的延续。村民委员会是村民进行民主管理的自治组织,村民通过民主投票选举产生村民委员会成员,当然也可以通过投票来免除其职务。选举和罢免村民委员会成员,都是村民行使民主权利的体现,因此,在门槛的设置上,罢免村民委员会成员也应和选举村民委员会成员是一致的。出于上述考虑,2010 年修订村民委员会组织法时,对本条关于罢免的有效性和通过罢免的法定票数的规定进行了修改,进一步明确了通过罢免的法定条件,将原来规定的"须经有选举权的村民过半数通过",修改为"须有登记参加选举的村民过半数投票,并须经投票的村民过半数通过",与选举产生村民委员会成员的条件保持一致,与原来的规定相比,也适当放宽了罢免的条件。需要注意的是,罢免的投票实行无记名投票和公开计票的方法,投票结果应当场公布。

关于主持罢免的机构,在 2010 年修订村民委员会组织法的过程中,征求过各方面意见,但意见不尽一致:有的建议由村民选举委员会主持,有的建议由乡镇人民政府主持,还有的建议由村务监督机构主持。关于这个问题,考虑到各地做法不一,一些地方根据自己的实际情况已经有比较完善的做法,因此对此未作规定,可由各地结合自己的实际情况在实施办法中予以规定。

**第十七条　以暴力、威胁、欺骗、贿赂、伪造选票、虚报选举票数等不正当手段当选村民委员会成员的,当选无效。**

**对以暴力、威胁、欺骗、贿赂、伪造选票、虚报选举票数等不正当手段,妨害村民行使选举权、被选举权,破坏村民委员会选举的行为,村民有权向乡、民族乡、镇的人民代表大会和人民政府或者县级人民代表大会常务委员会和人民政府及其有关主管部门举报,由乡级或者县级人民政府负责调查并依法处理。**

**【释义】**　本条是对破坏村民委员会选举行为的法律后果及

相关处理的规定。

一、破坏选举的行为的含义及其法律后果

1987年通过的村民委员会组织法（试行）实施后，有的地方在选举村民委员会成员的过程中出现了一些破坏选举的行为，扰乱了村民委员会选举的正常进行，挫伤了村民选举的积极性。因此，1998年修订村民委员会组织法时，针对这些情况，增加了有关对破坏村民委员会选举的行为的规定："以威胁、贿赂、伪造选票等不正当手段，妨害村民行使选举权、被选举权，破坏村民委员会选举的，村民有权向乡、民族乡、镇的人民代表大会和人民政府或者县级人民代表大会常务委员会和人民政府及其有关主管部门举报，有关机关应当负责调查并依法处理。以威胁、贿赂、伪造选票等不正当手段当选的，其当选无效。"该规定有利于保障村民自由、充分地行使选举权和被选举权，按照自己的意愿进行投票，不受他人干扰和支配，保证村民委员会选举工作的正常进行，2010年修订村民委员会组织法时，有的意见建议，对破坏选举行为的规定进行细化。通过研究上述意见，针对破坏选举的行为"认定难""处理难"的问题，本条作了两处修改，增加规定列举了"暴力"、"欺骗"和"虚报选举票数"三种破坏选举的不正当手段，以更好地对破坏选举行为进行认定。

根据本条第一款的规定，在村民委员会选举中，使用暴力、威胁、欺骗、贿赂、伪造选票、虚报选举票数等不正当手段的行为，均属于破坏村民委员会选举的行为。"暴力"是指对村民、候选人、选举工作人员等进行人身打击或者实行强制，如殴打、捆绑等，也包括以暴力故意捣乱选举场所，使选举工作无法进行等行为。"威胁"是指以杀害、伤害、毁坏财产、破坏名誉或者使其受到其他损害等手段进行要挟，使村民不能按照自己的意愿投票的行为。"欺骗"是指捏造事实、颠倒是非，并加以散播、宣传，以虚假的事实扰乱正常的选举活动，影响村民和候选人自由地行使选举权和被选举权的行为。应当注意的是，这里所说的“欺骗”，必须是编造严重不符合事实的情况，或者捏造对选举有重大影响的情况等。对于在选举活动中介绍候选人或者候选人在介绍自己情况时，对一些不是很重要的事实有所夸大或者隐瞒，不致影响正常选举的行为，不能认定为以欺骗手段破坏选举。“贿赂”是指用金钱、财物等物质利益或其他利益诱使或收买村民违反自己的真实意愿参加选举或在选举工作中进行舞弊活动的行为。在村民委员会的选举过程中，候选人及其亲友直接或指使他人用金钱、财物或者其他利益收买本村选民、选举工作人员或者其他候选人，影响或左右选民意愿的，都是贿选。各地要结合实际，进一步明确贿选的界限，同时，也要认真研究和区分一般人情往来、候选人捐助公益事业以及承诺经济担保等法律未明确禁止的行为，与直接买卖选票行为不同："伪造选票"是指假冒选举主持机关的名义，制造选票，使多数村民投票选举的候选人无法当选，扰乱选举的行为。“虚报选举票数”，是指选举工作人员对于统计出来的选票数、赞成票数、反对票数等选举票数进行虚报、假报的行为，既包括多报，也包括少报。

但是破坏村民委员会选举的行为，不仅仅限于上述行为。只要在村民委员会选举中采取不正当手段，妨碍村民自由行使其选举权利的行为，均属于破坏村民委员会选举的行为。对参与或指使他人以暴力、威胁、欺骗、贿赂、伪造选票、虚报选举票数等违法手段参选的，一经发现即取消其参选资格，已经当选的，其当选无效。在选举中采取不正当手段当选的，选举结果不具有真实性和公平性，因此应是无效的。

二、对破坏选举行为的举报及受理

根据本条第二款的规定，对于妨害村民行使选举权和被选举权，破坏村民委员会选举的行为，村民可以向下列机关举报：乡镇的人民代表大会（乡级人大不设常委会）和县级人大常委会，乡镇和县级的人民政府，以及县级人民政府的有关主管部门，如主管基层政权和社区建设的民政部门，主管社会治安的公安部门，等等。根据地方组织法的相关规定，县级人大常委会及乡镇人民代表大会负有“在本行政区域内，保证宪法、法律、行政法规和上级人民代表大会及其常务委员会决议的遵守和执行”的职责，地方各级人民政府负有“保障公民的人身权利、民主权利和其他权利的职责”。因此，无论村民向上述哪一个机关举报，该机关均应受理。

之所以同时规定几个受理举报的机关，是为了方便村民及时举报破坏选举的行为。村民可以根据实际情况，选择上述机关中的一个或几个进行举报。村民可以就近向乡镇人大、乡镇政府举报，也可以不经乡镇人大或乡镇人民政府直接向县级人大常委会、县级人民政府及其有关主管部门举报。

### 三、对破坏选举行为的调查处理

2010 年修订村民委员会组织法的过程中，有的意见提出，应当进一步明确有关机关对破坏村民委员会选举行为调查处理的职责。有的意见建议，加大对破坏选举行为的制裁力度，明确查处机关，对处罚作出明确规定。有的意见建议，拓宽接受村民举报的渠道，进一步明确有关机关对破坏村民委员会选举行为调查处理的职责，即明确对破坏选举行为作出认定和依法处理的“有关机关”，避免推诿扯皮。有的意见建议由乡级人大及政府认定破坏选举的行为，因为乡镇是指导村民委员会换届选举的主体，了解村里的情况。经研究上述意见，将本款原来规定的“由有关机关进行认定和处理”，修改为“由乡级或者县级人民政府负责调查并依法处理”，进一步明确了进行调查和依法处理的机关，以保障破坏选举的行为得到及时有效的处理。

根据本条第二款的规定,村民举报破坏选举的行为的,由乡级或县级人民政府负责调查并依法处理。因此,负责调查处理的机关与受理举报的机关的范围是不一致的。负责调查处理的机关限于乡级或者县级人民政府,而受理举报的机关除乡级或者县级人民政府之外,还包括乡镇人大、镇政府以及县级人大常委会或县级人民政府主管部门。

之所以这样规定,主要是出于以下考虑:受理举报的机关范围相对要宽,有利于拓宽村民举报的渠道,而负责调查处理的机关相对集中,有利于明确调查和处理机关的责任,避免有关机关相互推诿。乡级或县级人民政府以外的受理举报的机关,在接到村民对破坏选举行为的举报后,应当及时向乡级或县级人民政府反映情况;乡级人大或者县级人大常委会可以依法履行监督职能,督促同级人民政府尽快依法处理。

乡级或者县级人民政府接到村民举报或其他有关机关的情况反映后,应当及时对举报的事实进行调查,并根据情节轻重分别给予查处:情节较轻的,由乡(镇)人民政府或县(市、区)民政部门进行批评教育;构成违反治安管理行为的,由公安机关依法处理;构成犯罪的,由司法机关依法追究刑事责任。同时,根据本条第一款的规定,经过调查,确认有关人员使用不正当手段当选村民委员会成员的,其当选无效。对于因此而空缺的村民委员会成员名额,可以依据本法第十九条的规定进行补选。当然,对破坏选举的行为,不能局限于选举结束后的反映、调查、宣布无效等处理方式,在选举前以及选举过程中,有关机关就应及时进行调查和纠正。

应当注意的是,破坏村民委员会选举的行为,不构成刑法规定的破坏选举罪。刑法第二百五十六条规定:“在选举各级人民代表大会代表和国家机关领导人员时,以暴力、威胁、欺骗、贿赂、伪造选举文件、虚报选举票数等手段破坏选举或者妨害选民和代表自由行使选举权和被选举权,情节严重的,处三年以下有期徒刑、拘役或者剥夺政治权利。”根据该规定，破坏选举罪是破坏各级人民代表大会代表和国家机关领导人员的选举的活动，而村民委员会是群众自治性组织，不属于国家机关，因此，对于破坏村民委员会选举的行为，应当按照村民委员会组织法的规定予以处理，而不能以破坏选举罪来定罪量刑。如果破坏选举的行为构成刑法规定的其他罪名的，如殴打村民构成故意伤害罪的，可以依照刑法的相关规定追究刑事责任。

**第十八条　村民委员会成员丧失行为能力或者被判处刑罚的，其职务自行终止。**

**【释义】** 本条是对村民委员会成员职务自行终止的情形的规定。

一、职务自行终止

“职务自行终止”，是指本条规定的情形经上述法定程序确认后，无须再通过罢免程序或者其他程序，村民委员会成员的职务即被免除。这种职务的免除不是临时性的，不同于“暂时停止执行其职务”。由于村民委员会成员职务自行终止，造成村民委员会成员出缺的，可以根据本法第十九条的规定，进行补选，补选的村民委员会成员任期到本届村民委员会任期届满时止。如果本届村民委员会任期很快届满，或者出缺对村民委员会行使职权影响不大的，也可以不进行补选。是否进行补选，由村民会议或者村民代表会议决定。

2010年修订村民委员会组织法时，有的意见提出，村民委员会成员丧失行为能力或者被判处刑罚的，不能继续履行其职责，建议规定其村民委员会成员职务终止。立法机关经研究认为，村民委员会成员丧失行为能力或者被判处刑罚的，均无法继续履行其职务，因此有必要终止其职务。考虑到这两种情形都是客观的，也容易认定,不需要再启动罢免程序,可以直接终止村民委员会成员的职务。因此,增加了本条规定,建立村民委员会成员职务自行终止的制度,主要是针对村民委员会成员无法继续履行职责的情形,直接终止其村民委员会成员职务,有利于进一步畅通村民委员会成员的退出机制,符合广大村民的利益。

二、丧失行为能力和被判处刑罚

根据本条的规定,村民委员会成员丧失行为能力或者被判处刑罚的,其职务自行终止。

"丧失行为能力"是指经法定程序确认,村民委员会成员已经丧失其行为能力。丧失行为能力的村民委员会成员,已经无法继续履行其职责,规定其职务自行终止,有利于村民及时调换无法行使职权的村民委员会成员,选出更符合村民利益的村民委员会成员。"行为能力"是指能够以自己的行为依法行使权利和承担义务的能力。"丧失行为能力"是指失去了以自己的行为行使权利和承担义务的能力,例如,成为不能辨认自己行为的精神病人或者"植物人"等。需要注意的是,村民委员会成员是否"丧失行为能力"应当依法由有关的机关认定,只有经过法定机关认定的"丧失行为能力",才能作为村民委员会成员职务自行终止的法定理由,并产生本条所规定的法律后果。根据民事诉讼法第一百六十条的规定,法院经审理认定申请有事实根据的,判决为无民事行为能力或者限制民事行为能力人;认定申请没有事实根据的,应当判决予以驳回。因此,只有在法院认定该村民委员会成员丧失其民事行为能力之后,才产生其村民委员会成员职务终止的法律后果。

"判处刑罚"是指法院经过判决,处以刑事处罚的情形。只要依据刑法的规定被法院判处刑罚的,无论是故意犯罪还是过失犯罪,均属于法定的终止村民委员会成员职务的情形。"判处刑罚"是违法后果最严重的一种,意味着被判处刑罚的人的行为的社会危害性已经比较严重，因此，也不适宜再担任村民委员会成员职务。鉴于法院已经以判决的形式对其行为作出认定，也不必再启动罢免程序，规定自动终止其村民委员会成员职务是合理的。根据刑法第三十二条、第三十三条和第三十四条的规定，刑罚分为主刑和附加刑。主刑包括管制、拘役、有期徒刑、无期徒刑和死刑，附加刑包括罚金、剥夺政治权利和没收财产。附加刑也可以独立适用。因此，村民委员会成员存在下列三种情形之一的，均属于本条所规定的"被判处刑罚"：一是被判处管制、拘役、有期徒刑、无期徒刑或者死刑中的一种刑罚的；二是被判处管制、拘役、有期徒刑、无期徒刑或者死刑等刑罚中的一种，同时又被判处罚金、剥夺政治权利或者没收财产的；三是独立适用附加刑，即被判处罚金、剥夺政治权利或者没收财产的。只判处附加刑的，也属于本条规定的"被判处刑罚"的情形。此外，被判处缓刑的，虽然刑罚不立即执行，也属于"被判处刑罚"的情形。

三、村民委员会成员不适宜继续担任村民委员会职务的其他情形

村民委员会成员丧失行为能力和被判处刑罚的，需要有法定程序确认上述法定情形的存在，才能产生终止其村民委员会成员职务的法律后果，并继续启动补选程序。而除了本条规定的村民委员会成员职务自行终止的情形，对于村民委员会成员不适宜继续担任村民委员会职务的其他情形，可以依照本法的其他相关规定办理。如对于村民委员会成员连续两次被评议为不称职的，可根据本法第三十三条的规定，终止其职务。对于村民委员会成员违反计划生育超生的，被劳动教养的，受行政处分的，或参加邪教组织等情形，村民可以通过启动罢免程序撤换村民委员会成员。至于村民委员会成员死亡的，其村民委员会成员的职务自然出缺，村民当然可以通过补选来填补空缺，因此按照本法第十九条的规

定直接进行补选即可。

**第十九条　村民委员会成员出缺,可以由村民会议或者村民代表会议进行补选。补选程序参照本法第十五条的规定办理。补选的村民委员会成员的任期到本届村民委员会任期届满时止。**

**【释义】**　本条是对村民委员会成员出缺后进行补选的规定。

一、村民委员会成员的出缺及补选

“出缺”是指职位由于某种原因出现的空缺。村民委员会成员出缺的情形可能有以下几种:一是村民委员会成员被村民罢免的;二是村民委员会成员丧失行为能力的,或者被判处刑罚,其村民委员会成员职务自然终止的,即本法第十八条所规定的情形;三是村民委员会成员被两次民主评议不合格的,其职务终止,即本法第三十三条第二款规定的情形;四是村民委员会成员死亡,或者主动辞去村民委员会成员职务的,等等。出现上述情形后,村民委员会的个别成员出现空缺,此时,根据本条的规定,可以补选村民委员会成员。这是2010年修订村民委员会组织法时,从畅通村民委员会成员的退出机制出发新增加的规定。

出缺可能是由客观的原因造成的,也可能是由于主观的原因造成的,但是,产生的法律后果都是一致的。有的法律规定必须进行补选,有的则规定可以进行补选。村民委员会成员职位出现空缺,可能影响到村民委员会正常行使其职权,因此,规定补选的程序是必要的。但是考虑到村民委员会是群众自治性组织,空缺又是在本届村民委员会的任期中出现的,从充分尊重村民的意愿出发,本条规定村民委员会成员出缺时,可以进行补选。

需要注意的是,补选村民委员会成员是为了填补村民委员会成员的空缺,因此,补选不是重新选举,也不是另行选举。补选不是重新选举,意味着补选只针对出缺的村民委员会成员的职位进行选举,而不是重新选举所有的村民委员会成员。补选与另行选举的不同在于:另行选举是指当选举村民委员会成员时,当选人数不足应选名额时,对不足的名额再次进行的选举。另行选举的目的是选出在前次选举中未选足的名额,其候选人是固定的,即在第一次投票未当选的人员得票多的为候选人。另行选举的村民委员会成员的当选要求比第一次选举时的法定要求相对要低,即以得票多的当选,只要所得票数不少于已投选票总数的三分之一就可以了。而补选的程序完全参照选举的程序,即第一次投票的程序,主要体现为:有选举权的村民可以直接提名候选人,没有任何限制;参加补选的村民委员会成员候选人,应获得参加投票的村民过半数的选票,始得当选。当然,如果进行补选后,未能达到法定票数,无法产生新的村民委员会成员的,也可以进行另行选举,其法定票数与选举村民委员会成员的要求是完全一致的,即所得票数不得少于已投选票总数的三分之一。

二、补选程序

在2010年修订村民委员会组织法的过程中,有的建议明确村民委员会成员自行终止后补选村民委员会成员差额的具体程序。有的提出,村民委员会成员出缺补选适当简化程序是可以的,但是由村民代表会议进行补选不够慎重,建议由村民会议进行补选。有的地方提出,由于新的一届村民委员会成立后,选举委员会就解散,因此在罢免相关人员后,如何启动补选,在实践中操作难度较大,建议进一步明确,罢免、撤换村民委员会干部后,应当及时补选,以保证村民委员会工作的正常开展。有的意见提出,补选是个别村民委员会成员出缺后进行的选举,应当从我国农村的实际出发,简化出缺补选的程序。经认真研究上述意见后,本条对村民委员会成员出缺后的补选程序作了专门规定。

根据本条的规定,村民委员会成员出缺的,可以由村民会议或者村民代表会议进行补选。之所以规定村民代表会议也可以进行补选,主要是考虑到,随着我国经济社会的发展,许多农村地区的外出务工人员较多,召开村民会议的难度较大。如果只规定村民会议才能对出缺的村民委员会成员进行补选,可能会出现由于难以召开村民会议,从而无法对出缺的村民委员会成员进行补选的情况。为了避免这种情况的发生,保证村民能够按照其意志和意愿,及时补选村民委员会成员,有效地行使其民主自治的权利,本条规定召开村民代表会议也可以对村民委员会成员进行补选。至于召开村民会议还是村民代表会议,由村民自行决定,但是,不管是村民会议还是村民代表会议补选村民委员会成员,都应符合本法第十五条规定的法定人数,即登记参加选举的村民过半数投票,选举才有效。

考虑到村民委员会成员的补选其实是村民委员会选举的继续,是在某一届村民委员会的任期当中,由于特定的情形出现导致村民委员会成员出现空缺,再次选举村民委员会成员的活动。在制度设计上,村民委员会成员出缺后的补选程序,应当与选举村民委员会成员的程序保持一致。因此,本条规定村民委员会成员出缺后的补选程序完全适用本法第十五条关于村民委员会成员的选举程序的规定,也就是说,从候选人的提名到候选人与村民的见面,从选举的投票方式到选举有效的法定票数等具体问题,均按照村民委员会的选举程序办理。

参照本法第十五条的规定,补选的具体程序的相关内容如下:一是关于提名候选人,与选举村民委员会成员时一样,有选举权的村民可以直接提名补选的候选人。村民选举委员会应当组织候选人与村民见面,由候选人介绍履行职责的设想,回答村民提出的问题。二是关于选举的有效性和当选的法定票数。补选村民委员会成员的,有登记参加选举的村民过半数投票,选举有效;候选人获得参加投票的村民过半数的选票,始得当选。三是关于另行选举,第一次投票补选未能选出出缺的村民委员会成员的,可以另行选举。另行选举的,第一次投票补选未当选的人员得票多的为候选人,候选人以得票多的当选,但是所得票数不得少于已投选票总数的三分之一。四是关于投票的具体方式,补选仍实行无记名投票、公开计票的方法,选举结果应当当场公布。投票补选时,应当设立秘密写票处。五是关于委托投票,补选期间外出不能参加投票的,也可以书面委托本村有选举权的近亲属代为投票。如果省、自治区、直辖市的人民代表大会常务委员会规定了具体的选举办法,补选的程序也可以参照具体办法中选举程序的具体规定办理。

### 三、补选的村民委员会成员的任期

本条还对补选的村民委员会成员的任期作了明确规定。鉴于补选是对本届村民委员会出缺的成员进行的选举,为保持本届村民委员会工作的连续性,通过补选选出的村民委员会成员,其任期应当与本届村民委员会成员的任期保持一致。因此,根据本条的规定,补选的村民委员会成员行使职权到本届村民委员会任期届满时止。本届村民委员会任期届满后,补选的村民委员会成员和其他村民委员会成员一样,其职务终止。

**第二十条　村民委员会应当自新一届村民委员会产生之日起十日内完成工作移交。工作移交由村民选举委员会主持,由乡、民族乡、镇的人民政府监督。**

**【释义】**　本条是关于新一届村民委员会与上一届村民委员会工作移交的规定。

新老村民委员会的工作移交,既是做好村民委员会选举的重要环节,又是保证村民委员会工作正常运转,建设高效、廉洁的村民委员会的首要工作程序。但是现实中有部分村没有按照有关规定及时进行新老村民委员会的工作移交,因而出现政出多门,多头管理，分工不清，新老村民委员会都管又都不管的混乱局面。有的村民委员会出现了无公章使用、无场所办公、无财务可查的“三无”瘫痪状态，不仅给新一届村民委员会开展工作带来诸多不便，而且严重影响和阻碍了农村的改革发展稳定。由于村民委员会工作交接的期限、程序无统一的法律依据，拒不交接的法律后果由谁承担也无明确规定，致使出现换届选举后村民委员会印章、财务交接处于无法可依、无章可循的混乱局面。因此，对村民委员会工作交接的期限、程序以及主持和监督作出规定是必要的。本条主要从以下四个方面对村民委员会工作的移交作出规定。

一、村民委员会工作移交的内容

上一届村民委员会应当在新一届村民委员会产生之日起十日内移交村民委员会印章、办公场所、办公用具、集体财务账目、固定资产、工作档案、债权债务及其他遗留问题等。

中共中央办公厅、国务院办公厅《关于健全和完善村务公开和民主管理制度的意见》（2004 年 6 月 22 日）（中办发〔2004〕17 号）指出，建立村民委员会换届后的工作移交制度。村民委员会换届工作结束后，原村民委员会应将公章、办公场所、办公用具、集体财务账目、固定资产、工作档案、债权债务及其他遗留问题等，及时移交给新一届村民委员会。民政部、公安部《关于规范村民委员会印章制发使用和管理工作的意见》（2001 年 6 月 21 日）规定，乡级人民政府、县级人民政府民政部门要监督做好村民委员会换届后的印章移交工作。换届选举工作结束后，上一届村民委员会应在十天内向本届村民委员会移交印章。拒不移交村民委员会印章的，由制发机关负责追缴，并追究责任。

村民委员会印章是村级公共权力的象征，在办理村公共事务和公益事业方面具有重要作用。办公场所和办公用具是指村民委员会履行职责所必需的场所、用品等，如办公室、办公桌椅等。集体财务账目是指村集体的经济财产账本细目。固定资产包括房屋、建筑物、机器、机械、运输工具以及其他与村民委员会履职有关的设备、器具、工具等，还包括村投资兴办的企业等。工作档案包括村民委员会依法履行职责的过程中，以及村民自治的各项活动中产生的有保存价值的各种门类和载体的历史记录，包括村民委员会选举、文书、会计、基建、设备、婚姻状况证明、经营管理、土地管理、地籍管理、山林证、科技信息、农土产品、声像、实物、谱牒等类型。债权债务是指村民委员会依法履行职责的过程中以及村民自治的各项活动中形成的债权、债务。其他遗留问题属于兜底性规定，主要指除上述事项外的需要交接以进一步开展工作的事项。

二、村民委员会工作移交的时限

村民委员会应当自新一届村民委员会产生之日起十日内完成工作移交。十日指的是连续计算的十天，不是指工作日，包含节假日，自新一届村民委员会选举产生之日计算。

三、村民委员会工作移交的主持者

村民委员会工作移交由村民选举委员会主持。村民选举委员会主持工作移交主要基于以下三点考虑：第一，更能体现民主选举、村民自治的立法精神和理念。中共中央办公厅、国务院办公厅《关于健全和完善村务公开和民主管理制度的意见》规定，移交工作由乡级人民政府负责主持。乡级人民政府主持工作移交有利于新老村民委员会工作的顺利交接和平稳过渡，但是村民委员会的工作移交属于村民自治的内部机构之间更迭的程序事务，由村民内部自我解决为宜，况且绝大多数村民委员会可以通过自治机构顺利完成这一交接。乡级人民政府作为工作移交的监督者，更符合村民自治的制度设计。第二，工作移交是选举工作的延续，应由村民选举委员会主持。村民选举委员会主持村民委员会的选举，待村民委员会合法产生之后,保证村民委员会顺利履行职责是村民选举委员会职责的应有之义。如果村民选举委员会主持选举产生的村民委员会不能依法履行职责,村民选举的真正目的和意图就无法实现。第三,从性质上看,村民选举委员会并非常设机构,由于各种原因选举委员会成员不可能随时召集。法律明确村民委员会的工作移交在选举结束十日内进行,从时间上有利于村民选举委员会成员的召集,便于其集中履行职责,保证村民选举委员会主持村民委员会的工作移交。

四、村民委员会工作移交的监督者

村民委员会工作移交由乡、民族乡、镇的人民政府监督。在实践中体现为乡镇人民政府派人全程参加村民委员会的工作移交,监督各项移交工作的开展,纠正非法行为。乡镇人民政府担负工作移交的监督工作,主要基于以下两点考虑:第一,作为监督者,乡镇人民政府并不干预村民自治活动,而是相信村民群众能够办理好自己的事情,由村民自治机制来实现新老交替;第二,乡镇人民政府的监督是村民委员会工作顺利平稳移交的有力保障。在出现某种原因导致村民选举委员会无法完成新老村民委员会交接工作时,乡镇人民政府需要及时出面,采用说服教育、批评督促等有效手段保证交接工作顺利进行。

在具体操作上,根据有关规定,乡镇人民政府要切实负起责任,选派人员督促帮助村民选举委员会及早召开会议,就公章、办公设施、财务账目、固定资产、工作档案、债权债务及其他遗留问题等事项进行工作移交。乡镇人民政府所派工作人员对移交事项及流程要做到心中有数,以有效掌控工作移交全过程,做到账目清楚、手续规范、不遗不漏,一次交接完毕。对移交过程中发现的重大问题要及时依法处理。对拒不移交或无故拖延移交的,乡镇党委政府应给予批评教育,督促其加以改正。

# 第四章 村民会议和村民代表会议

**第二十一条 村民会议由本村十八周岁以上的村民组成。**

**村民会议由村民委员会召集。有十分之一以上的村民或者三分之一以上的村民代表提议，应当召集村民会议。召集村民会议，应当提前十天通知村民。**

**【释义】** 本条是关于村民会议组成和召集的规定。

一、村民会议的组成

村民会议由本村十八周岁以上的村民组成。

首先，村民会议的组成人员应当年满十八周岁。我国宪法第三十四条规定，中华人民共和国年满十八周岁的公民，不分民族、种族、性别、职业、家庭出身、宗教信仰、教育程度、财产状况、居住期限，都有选举权和被选举权；但是依照法律被剥夺政治权利的人除外。需要指出的是，这里所称的年龄限制是公法意义上的，只有真正满足年龄要求才能具有相应的政治权利。这一点不同于民法上的完全民事行为能力。民法通则第十一条规定，十八周岁以上的公民是成年人，具有完全民事行为能力，可以独立进行民事活动，是完全民事行为能力人。十六周岁以上不满十八周岁的公民，以自己的劳动收入为主要生活来源的，视为完全民事行为能力人。在这里，十八周岁以上的公民是成年人，是完全民事行为能力人，属于村民会议的组成人员；但是十八周岁以下的人属于未成年人，不具备完全民事行为能力，即使已经参加了生产劳动，以自己的劳动收入为主要生活来源，也不是村民会议的组成人员，不能参加村民会议。

其次，参加村民会议的必须是本村村民。这里的本村村民需要结合本法第十三条来分析，本村村民应包括三部分：(1)户籍在本村并且在本村居住的村民；(2)户籍在本村，不在本村居住；(3)户籍不在本村，在本村居住一年以上，本人申请参加选举，并且经村民会议或者村民代表会议同意参加了村民选举的公民。前两部分是以户籍为标准的本村村民，第三部分是基于居住期限经法定程序成为参加本村村民委员会选举的选民的其他村的村民或者城镇居民。召开村民会议，除法律另有规定由村集体经济组织成员决定的事项外，村民会议讨论决定事项时，参加村民会议的人员是平等的，具有相同的表决权。

最后，依照法律被剥夺政治权利的本村村民是否可以参加村民会议，法律没有规定。刑法第五十四条规定："剥夺政治权利是剥夺下列权利：(一)选举权和被选举权；(二)言论、出版、集会、结社、游行、示威自由的权利；(三)担任国家机关职务的权利；(四)担任国有公司、企业、事业单位和人民团体领导职务的权利。"宪法规定的其他权利，如劳动权、休息权、受教育权、财产权、继承权等，则和一般公民一样享有。因此，依照法律被剥夺政治权利的人作为村民的一员，可以参加村民会议，对村民会议讨论的各项问题发表意见，但在选举村民委员会组成人员时，不享有选举权和被选举权；在罢免村民委员会组成人员时，不享有表决权。

二、村民会议的召集

1998 年村民委员会组织法第十七条第一款规定了村民会议的组成，第十八条第二款规定了村民会议的召集。为了更加方便村民提议召开村民会议，增强可操作性，充分发挥村民代表的作用，此次修订增加了提议召集村民会议的途径，即三分之一以上的村民代表提议应当召集村民会议。

根据本条第二款规定，村民会议由村民委员会负责召集。村民委员会作为村民自治的组织者和执行者，召集村民会议既是其职权所在，又是其职责所系。根据村民委员会组织法的规定，村民委员会在下列情况下应当召集村民会议：(1)村民委员会的设立、撤销、范围调整；(2)罢免村民委员会成员；(3)撤销或者变更村民代表会议不适当的决定；(4)决定授权村民代表会议事项；(5)制定、修改村民自治章程、村规民约；(6)有十分之一以上的村民或者三分之一以上的村民代表提议。在下列情况下可以召集村民会议：(1)审议村民委员会的年度工作报告，评议村民委员会成员的工作；(2)撤销或者变更村民委员会不适当的决定；(3)推选产生村民选举委员会；(4)补选出缺的村民委员会成员；(5)推选村务监督机构成员；(6)对村民委员会成员以及由村民或者村集体承担误工补贴的聘用人员进行民主评议；(7)讨论决定本法第二十四条规定的涉及村民切身利益的事项。

村民委员会组织法虽然没有明确规定多长时间召开一次村民会议，根据上述规定应当和可以召集村民会议的情况来看，只要涉及上述事项和特殊情况时，村民会议就应当及时召开，讨论决定有关事项。有的省(区、市)规定了村民会议每年召开的次数，例如，福建省规定村民会议每年至少举行一次，广东省规定村民会议一般每半年举行一次。因此，在村民自治实践中，村民会议的召开实行定期与不定期相结合。

### 三、村民会议的主持

村民委员会组织法只规定了村民会议由谁来召集，而没有规定由谁来主持。一般情况下，村民会议由村民委员会召集，由村民委员会全体成员集体主持。所谓集体主持，就是对村民会议的议程、会议举行过程中遇到的问题等，都应当集体讨论决定，不能一个人说了算。村民会议由村民委员会集体主持，有利于发扬民主，发挥集体智慧，减少失误，也有利于培养村民委员会成员的民主意识，养成集体讨论决定问题的习惯。当然，村民委员会集体主持并不等于开会时每一个村民委员会成员都是会议的主持人。村民委员会可以协商推荐一人或几人主持会议。主持人应当贯彻村民委员会集体讨论决定的精神,不能擅作主张,随意改变会议的议程等。对于会议举行过程中遇到的问题,主持人应当及时和村民委员会其他成员交换意见,集体讨论解决。例如,《内蒙古自治区实施〈中华人民共和国村民委员会组织法〉办法》第十二条规定,嘎查村民会议由嘎查村民委员会召集,委员会主任主持,或者由主任委托副主任主持。《黑龙江省实施〈中华人民共和国村民委员会组织法〉办法》第十二条规定,村民会议由村民委员会召集,村民委员会主任主持。各地可以在实践中进一步探索既合法、合理,又符合当地实际情况的村民会议的主持方式。

四、召集村民会议的通知义务

为了使村民更多地了解村民会议讨论的事项,更好地为会议讨论做好时间和思想上的准备,有更多的时间去思考相关问题,同时也防止有些村干部利用程序职权之便仓促将会议议题付诸表决决定,村民委员会组织法规定了村民委员会召集村民会议应当提前十天通知村民。当然,提前十天通知村民主要针对一般性、常规性的村民会议,对于在突发的紧急状况下召开村民会议,未必有那么长的准备期,但需要及时通知村民会议的时间以及讨论议题。

**第二十二条　召开村民会议,应当有本村十八周岁以上村民的过半数,或者本村三分之二以上的户的代表参加,村民会议所作决定应当经到会人员的过半数通过。法律对召开村民会议及作出决定另有规定的,依照其规定。**

**召开村民会议,根据需要可以邀请驻本村的企业、事业单位和群众组织派代表列席。**

**【释义】**　本条是关于村民会议召开及作出决定的程序规定。

1998 年村民委员会组织法第十七条第二款对村民会议召开及作出决定的程序作出了规定。此次修订过程中，有意见提出，本法规定的村民会议召开及作出决定的程序，只适用于一般性的村民会议，有些法律如农村土地承包法、土地管理法等对村民会议召开的参加人员范围、作出决定的表决人数比例等作出了专门规定，本法应明确法律不同规定之间如何适用的问题。考虑到本法与有关法律的衔接问题，为明确在什么条件下适用本法、在什么条件下适用其他法律的专门规定，本次修改增加了衔接性规定，即法律对召开村民会议及作出决定另有规定的，依照其规定。

一、村民会议的召开形式

根据上述规定，村民会议有两种形式：一种形式是由本村十八周岁以上的村民参加的会议。根据本法第二十一条的规定，村民会议由本村十八周岁以上的村民组成，因此由组成人员参加是村民会议最完整的形式，也可称为村民大会；另一种形式是由每户选派代表参加的会议，是特殊情况下召开的不完全的村民会议。这一制度称为村民户代表会议制度，主要是指以本村有权参加村民会议的家庭户为单位，在家庭成员范围内推选一名最能体现家庭意志、具有政治参与能力的成员担任户代表，由全村户代表组成户代表会议，承担村民会议职责，对本村重大事务进行讨论决定的制度。之所以规定这种形式的村民会议，主要考虑现阶段我国农村最基本的经济制度仍然是家庭承包经营，村民家庭是一个生产单位，也是一个利益分配的单位，每个家庭有着共同的经济利益和要求，以户为单位派代表，一般能够把本村内村民各方面的意见反映出来，在一定意义上家庭户成为了目前农村的秩序、组织和调控的基础；同时户代表会议比村民大会容易召集和举行。

需要注意的是，在通常情况下，村民会议应当尽量坚持本村十八周岁以上的村民参加的形式，也可以采取户的代表的形式。在有条件的地方应当尽可能召开本村十八周岁以上的村民参加的村民大会。这是因为：第一，随着农村经济社会和文化的发展，农民公民意识、个人权利意识的增强以及农户家庭内部观念及至利益的分化，户代表将越来越不能完全代表户内各个成员不同的看法和主张，而户内其他成员也需要表达自己的诉求；第二，村里有些特定的事务，不仅仅关系到家庭户，可能更直接关系到个人，由本村十八周岁以上的村民来开会讨论更能真实反映和体现村民意志，效果更好。

根据村民会议召开形式不同，法律规定的村民会议召开的法定人数要求也有所不同：一是由本村十八周岁以上村民的过半数参加；二是本村三分之二以上的户的代表参加。如果参加的人数要求不符合上述规定，则村民会议因未达到法定到会人数而无法召开，强行召开进行表决的则无效。

二、村民会议的表决

村民会议是村民实行民主自治的基本形式，因此村民会议应遵从多数决的民主原则，就是少数服从多数原则，即村民会议所作的决定应当经到会人员的过半数通过，这一程序下通过的决定才是合法有效的决定，才对全体村民有约束力。“经到会人员的过半数通过”这一程序在实践中又被称为“两个过半”。需要注意的是，经到会人员的过半数，而不是经村民会议组成人员的过半数。村民会议组成人员未必全部参加村民会议，有本村十八周岁以上村民的过半数或者本村三分之二以上的户的代表参加，村民会议即可召开，经上述人员的过半数通过的决定就是合法有效的。

三、其他法律对召开村民会议及作出决定的规定

在本条规定的程序之外，根据讨论决定事项的具体情况和特殊性，其他法律对村民会议的召开、参加人员以及作出决定的表决

人数比例等还作出了特殊规定,法律另有规定的则不适用本条的规则,适用特殊规定。其他法律对召开村民会议及作出决定的规定主要有:

(一)农村土地承包法

农村土地承包法对召开村民会议及作出决定的规定有三点:第一,关于承包方案。承包方案应当按照农村土地承包法第十二条的规定,依法经本集体经济组织成员的村民会议三分之二以上成员或者三分之二以上村民代表的同意;第二,关于承包权的合理调整。承包期内,因自然灾害严重毁损承包地等特殊情形对个别农户之间承包的耕地和草地需要适当调整的,必须经本集体经济组织成员的村民会议三分之二以上成员或者三分之二以上村民代表的同意,并报乡(镇)人民政府和县级人民政府农业等行政主管部门批准;第三,关于本集体经济组织以外单位、个人的承包。发包方将农村土地发包给本集体经济组织以外的单位或者个人承包,应当事先经本集体经济组织成员的村民会议三分之二以上成员或者三分之二以上村民代表的同意,并报乡(镇)人民政府批准。

(二)土地管理法

土地管理法对召开村民会议及作出决定的规定有两点:第一,关于土地承包经营期限内个别承包经营者之间承包的土地的调整。对在土地承包经营期限内,对个别承包经营者之间承包的土地进行适当调整的,必须经村民会议三分之二以上成员或者三分之二以上村民代表的同意,并报乡(镇)人民政府和县级人民政府农业行政主管部门批准;第二,关于本集体经济组织以外的单位或者个人承包经营。农民集体所有的土地由本集体经济组织以外的单位或者个人承包经营的,必须经村民会议三分之二以上成员或者三分之二以上村民代表的同意,并报乡(镇)人民政府批准。

（三）草原法

草原法对召开村民会议及作出决定的规定有两点：第一是关于草原承包经营期内个别承包经营草原的调整。在草原承包经营期内，不得对承包经营者使用的草原进行调整；个别确需适当调整的，必须经本集体经济组织成员的村（牧）民会议三分之二以上成员或者三分之二以上村（牧）民代表的同意，并报乡（镇）人民政府和县级人民政府草原行政主管部门批准；第二是关于本集体经济组织以外的单位或者个人承包经营草原。集体所有的草原或者依法确定给集体经济组织使用的国家所有的草原由本集体经济组织以外的单位或者个人承包经营的，必须经本集体经济组织成员的村（牧）民会议三分之二以上成员或者三分之二以上村（牧）民代表的同意，并报乡（镇）人民政府批准。

四、关于列席村民会议

随着农村经济和社会的发展，封闭而自给的村庄格局已不复存在，村庄与外界的联系越来越多，越来越频繁。特别是在我国经济高速发展的现阶段，许多村开办了企业，或者通过出租土地引来外面的投资办起了企业，其他一些事业单位、群众组织也进入村庄的区域范围，这些单位都同村庄发生着千丝万缕的关系。村民会议在讨论本村村务时，往往会涉及与这些单位相关的事务及其利益，需要邀请他们派代表列席村民会议，以保证其知情，并协助做好有关公益事业等事项。结合本法第三十八条的规定，列席会议的代表不具有表决权，但讨论决定的事项或者所作决定涉及上述单位，应做好协商工作，取得这些单位的同意、配合和支持。

**第二十三条　村民会议审议村民委员会的年度工作报告，评议村民委员会成员的工作；有权撤销或者变更村民委员会不适当的决定；有权撤销或者变更村民代表会议不适当的决定。**

**村民会议可以授权村民代表会议审议村民委员会的年度工作报告，评议村民委员会成员的工作，撤销或者变更村民委员会不适当的决定。**

**【释义】** 本条是关于村民会议职权的规定。

1998年村民委员会组织法第十八条对村民会议的职权作出了规定。此次修订在此基础上增加了两方面的规定:第一,增加了村民会议撤销或者变更村民委员会、村民代表会议不适当决定的内容。村民委员会是执行村民会议决议的机构,村民代表会议是根据村民会议授权讨论决定授权事项的组织形式,其权源均来自全体村民以及全体村民行使权力的组织形式——村民会议。从这一点上来讲,村民会议对村民委员会、村民代表会议的纠错机制是其中应有之义;第二,增加村民会议对村民代表会议授权的内容。由于有些地方的村召开村民会议较为困难,为增强实际中的可操作性,此次修订对于村民代表会议的内容有所增加。因此在村民会议难以经常召开的情况下,由村民会议授权村民代表会议行使村民会议的一些职权,是符合实际需要的。根据本条规定,村民会议职权主要包括以下三方面。

一、审议村民委员会的年度工作报告、评议村民委员会成员的工作

村民会议是村民集体讨论决定涉及全村村民利益问题的一种组织形式,是最广泛、最直接地表达村民的利益、意志和愿望的渠道,是村民开展自治活动、直接行使民主权利的村级最高权力机构。而村民委员会由村民直接选举产生,是村民会议决议、决定的执行者和组织者,是村民实行自治的执行机构和工作机构。二者是自治的权力机构与执行机构和工作机构的关系。因此本法在总则第二条明确规定,村民委员会向村民会议、村民代表会议负责并报告工作。

正是基于这一关系，村民会议有权审议村民委员会的年度工作报告，评议村民委员会成员的工作。村民会议听取和审议村民委员会的工作报告，以使村民对村民委员会的工作有足够的了解，增强村民委员会工作的公开性；村民委员会及其成员有义务向村民会议如实报告工作情况，从而使村民委员会的一切工作和活动都对村民会议负责，接受村民会议的监督。村民会议对村民委员会成员的工作作出评议，也是村民委员会向村民会议负责的具体体现。村民可以通过评议对村民委员会成员的工作提出意见和建议，以便村民委员会成员改进工作。

二、有权撤销或者变更村民委员会、村民代表会议不适当的决定

撤销或者变更村民委员会、村民代表会议不适当的决定，是村民会议对村民委员会、村民代表会议的纠错机制，也是村民自治中全民监督的方式之一。变更是指村民会议认为村民委员会、村民代表会议的决定不适当，通过法定的民主程序对该决定进行内容上的更改。撤销是指村民会议认为村民委员会、村民代表会议的决定不适当，通过法定的民主程序取消该决定，使其失去效力。

三、村民会议对村民代表会议的授权

村民会议对村民代表会议的授权，本法规定了两项内容：一是本条所规定的职权，即审议村民委员会的年度工作报告，评议村民委员会成员的工作，撤销或者变更村民委员会不适当的决定；二是本法第二十四条规定的涉及村民利益须经村民会议讨论决定的事项。

村民会议对村民代表会议的授权方式可以分为三种：一是一次性授权。如每次换届选举以后，召开村民会议向本届村民代表会议授予若干事项的讨论决定权。二是在村民自治章程中授权。

通过制定或者修改村民自治章程，在村民自治章程中明确列出村民会议授予村民代表会议行使的各项职权。三是专项授权。如针对每个具体的重大村务事项，专门召开村民会议向村民代表授权，授权内容只涉及特定的重大村务事项。总之，村民会议向村民代表会议授权的具体内容和方式，应根据各地实际情况来进行。

**第二十四条　涉及村民利益的下列事项，经村民会议讨论决定方可办理：**

**（一）本村享受误工补贴的人员及补贴标准；**

**（二）从村集体经济所得收益的使用；**

**（三）本村公益事业的兴办和筹资筹劳方案及建设承包方案；**

**（四）土地承包经营方案；**

**（五）村集体经济项目的立项、承包方案；**

**（六）宅基地的使用方案；**

**（七）征地补偿费的使用、分配方案；**

**（八）以借贷、租赁或者其他方式处分村集体财产；**

**（九）村民会议认为应当由村民会议讨论决定的涉及村民利益的其他事项。**

**村民会议可以授权村民代表会议讨论决定前款规定的事项。**

**法律对讨论决定村集体经济组织财产和成员权益的事项另有规定的，依照其规定。**

**【释义】**　本条是关于涉及村民利益须经村民会议讨论决定的事项的规定。

村民自治作为农村基层直接民主形式，其基本内容就是，凡是关系到村民群众利益的事项，都由群众自己当家，自己做主，自己决定。村民群众通过村民会议这一基本形式直接参与村级重大事项的决策，是村民自治的核心内容之一。但是实践中有些村民委员会和村干部往往不经民主决策程序，擅自决定涉及全体村民的重大事项，既违反了法律规定，又侵犯了村民的知情权和决策权，甚至引发了村内诸多矛盾。因此，村民委员会组织法明确规定了一些涉及村民利益的重大事项须经村民会议讨论决定方可办理，村民委员会无权擅自决定。

1998 年村民委员会组织法对村民委员会须提请村民会议讨论决定的涉及村民利益的事项作出了规定，除兜底条款外一共列举了八项事项。随着农村社会经济的发展，特别是农业税费的改革、公共服务的扩大和社会主义新农村建设的推进，农村许多情况已经较二十世纪九十年代发生了巨大变化，须由村民会议讨论决定的事项也需要根据新情况进行相应调整。同时，对涉及村集体经济组织财产和成员权益的事项的讨论决定程序也需要作出衔接性规定。

### 一、须由村民会议讨论决定的事项

#### （一）本村享受误工补贴的人员及补贴标准

享受误工补贴的人员既包括村民委员会成员，也包括村级党组织、经济组织、群团组织以及其他需要由村民负担或从村集体经济开支的人员。补贴标准要从实际出发，根据本地区、本村实际生活水平确定，不得任意扩大。补贴人员和补贴标准不能由村民委员会来确定或者由乡镇政府来核定，必须经村民会议讨论决定。村民会议可以从本村的实际出发，根据本村的经济状况和村民委员会成员所承担的任务来确定补贴人数和补贴标准。

#### （二）从村集体经济所得收益的使用

这里的“村集体经济”主要包括由村投资兴办的各种企业、经济实体；村投资的股份制企业，集体统一经营的收入；出租村农民集体所有房屋、财产所得的收入，各种承包费用；土地补偿费，等等。凡是从村集体经济中所获得的收益必须向村民会议报告，所得收益如何使用，必须由村民会议讨论决定。

这里需要注意的是,从村集体经济所得收益的使用,并不是本村集体经济所得收益的使用或者村集体经济所得收益的使用。“从村集体经济所得收益”是村集体经济所得收益在通过一定程序确定属于村集体企业发展所需资金、工人工资福利等部分之后,将村集体经济所得收益中的一部分以补贴、分红等形式缴纳给村里的那一部分,并不是村集体经济所得全部收益。

(三)本村公益事业的兴办和筹资筹劳方案及建设承包方案

1. 农村的公益事业

农村公益事业主要是指向农村居民提供的公共产品或公共服务。村民委员会应当兴办的公益事业主要有:(1)公共设施的建设,如农村道路的规划、修建和维护,公共水利设施的建设和维修等;(2)实行义务教育,如兴办村小学等;(3)搞好公共卫生,整顿村容村貌,如植树造林,建设废物垃圾清理设施,美化环境等;(4)兴办公共服务机构,如卫生室、敬老院、托儿所、幼儿园等;(5)兴办文化娱乐场所,开展各种健康有益的文娱活动,如图书室、文化宣传中心等。在实践中,往往将农村所有的非私人性质的事务等同于公共事务以及公益事业,称为“村务”。实际上,这些事务相当一部分,如兴修水利,发展教育、医疗,兴建基础交通实施等,都属于“公共产品”或者“公共服务”的范畴,不应当全部由村民来负担,应由公共财政加以投入。党的十六届六中全会通过的《中共中央关于构建社会主义和谐社会若干重大问题的决定》提出,要“完善公共财政制度,逐步实现基本公共服务均等化”。2005 年中央要求进一步发展农村教育、卫生、文化等社会事业,要落实新增教育、卫生、文化、计划生育等事业经费主要用于农村的规定,用于县以下的比例不得低于 70%。2008 年中央 1 号文件提出,推进城乡基本公共服务均等化是构建社会主义和谐社会的必然要求。必须加快发展农村公共事业,提高农村公共产品供给水平。

国务院农村综合改革工作小组、财政部、农业部《关于开展村级公益事业建设一事一议财政奖补试点工作的通知》(国农改〔2008〕2号)规定,村级公益事业与农民的生产生活直接相关,受益面广,具有较强的公益性,属于准公共产品,政府、村集体经济组织和农民都有建设的责任。跨村以及村以上范围的公益事业建设项目投入应主要由各级政府分级负责,由现有的投入渠道解决;村内小型水利、村内道路、环卫设施、植树造林等村民直接受益的公益事业,应以村民通过一事一议筹资筹劳和村集体经济组织投入为主,国家适当给予奖补;农民房前屋后的修路、建厕、打井、植树等投资投劳应由农民自己负责。

2. 农村的筹资筹劳

筹资筹劳是指为兴办村民直接受益的集体生产生活等公益事业,按照国务院规定经民主程序确定的村民出资出劳的行为。国务院办公厅《关于转发农业部村民一事一议筹资筹劳管理办法的通知》(国办发〔2007〕4号)规定,筹资筹劳应遵循村民自愿、直接受益、量力而行、民主决策、合理限额的原则。筹资筹劳的适用范围是:村内农田水利基本建设、道路修建、植树造林、农业综合开发有关的土地治理项目和村民认为需要兴办的集体生产生活等其他公益事业项目。对符合当地农田水利建设规划,政府给予补贴资金支持的相邻村共同直接受益的小型农田水利设施项目,先以村级为基础议事,涉及的村所有议事通过后,报经县级人民政府农民负担监督管理部门审核同意,可纳入筹资筹劳的范围。属于明确规定由各级财政支出的项目,以及偿还债务、企业亏损、村务管理等所需费用和劳务,不得列入筹资筹劳的范围。筹资的对象为本村户籍在册人口或者所议事项受益人口。筹劳的对象为本村户籍在册人口或者所议事项受益人口中的劳动力。五保户、现役军人不承担筹资筹劳任务;退出现役的伤残军人、在校就读的学生、孕妇或者分娩未满一年的妇女不承担筹劳任务。

3. 为什么本村公益事业的兴办和筹资筹劳方案、建设承包方案须经村民大会讨论决定

此项规定的目的在于要求农村兴办公益事业和筹资筹劳，都要从实际出发，尊重农民群众的意愿，因为这些都与农民群众的切身利益密切相关。实践中有的村、有的村干部在公益事业的兴办和筹资筹劳、建设承包中，不经充分的民主讨论和科学论证，搞“一言堂”、“拍脑袋”，对村民的利益和村集体的利益造成不应有的损失，还有的在决定建设承包过程中，以权谋私，造成腐败。只有坚持民主决策、民主管理、民主监督，将讨论决定权交由村民会议行使，才能充分发扬民主，化解矛盾，促进廉政建设。

（四）土地承包经营方案

土地是农业最基本的生产资料，农村土地承包经营是农民的头等大事。土地承包经营方案对于稳定和完善以家庭承包经营为基础、统分结合的双层经营体制，赋予农民长期而有保障的土地使用权，维护农村土地承包当事人的合法权益，促进农业、农村经济发展和农村社会稳定具有举足轻重的意义和作用。农村土地承包法规定，国家依法保护农村土地承包关系的长期稳定。农村集体经济组织成员有权依法承包由本集体经济组织发包的农村土地。物权法、农村土地承包法对土地承包经营方案的确定、调整等作出了决定。村民委员会组织法对此作出规定，主要是考虑村民委员会可以成为发包方，可能会滥用权力去规避法律规定，侵犯农民的土地承包经营权。

（五）村集体经济项目的立项、承包方案

兴办村集体经济项目，发展村级集体经济是建立村级稳定收入来源的重要手段，是解决农村基层自治组织“有心成事，无钱办事”矛盾的有效途径，是促进农村市场经济发展的重要推动力。兴办村集体经济项目，发展村级集体经济应结合农村的产业结构，突出各自的特色和优势产业，如养殖业项目、农产品加工业项目、

绿色旅游业项目等。总结实践经验,村集体经济项目的兴办主要包括三种:第一是利用集体土地,发展种植业、养殖业,引导农业规模经营,推动农业向规模化产业化方向发展;第二是通过招商引资,采用合资、股份制等方式兴办企业,推进农村工业化;第三是以集体所有的土地、鱼塘、房产等实行租赁经营,以物业租赁增加收入。随着社会经济的发展,目前许多村都发展集体经济,兴办了许多集体经济项目。这些与村民的切身利益密切相关,其立项、承包方案必须由村民会议讨论决定。

（六）宅基地的使用方案

农村宅基地主要是指农村村民居住生活使用的庭院用地,农村村民可以通过申请的方式获得宅基地,对宅基地行使占有、使用的权利。宅基地使用方案是指村民委员会根据国家法律、法规和政策的有关规定,结合本村实际,为规范村民宅基地的使用管理,如村民申请用地建房应具备的条件、如何依法合理利用土地、如何严格执行村庄集镇规划等方面的行为,而制定出的对全村包括各村民小组的村民具有普遍约束力,并且能反复适用的规定或方案。因其涉及全村村民的宅基地利益,所以必须由村民会议来讨论决定。需要注意的是,不能把单个村民建房申请事项等同为宅基地使用方案。宅基地使用方案是村民委员会审核村民建房申请的标准和依据,村民建房申请不能适用本条规定由村民会议来讨论决定,应适用土地管理法的规定。土地管理法第六十二条规定,农村村民一户只能拥有一处宅基地,其宅基地的面积不得超过省、自治区、直辖市规定的标准。农村村民住宅用地,经乡（镇）人民政府审核,由县级人民政府批准;其中,涉及占用农用地的,依照土地管理法第四十四条的规定办理审批手续。

（七）征地补偿费的使用、分配方案

征地补偿费是指依照法律程序征收或征用农民集体所有土地,并依法给予被征收或征用土地的集体经济组织含代行村集体经济组织职能的村民委员会、被征地农户和集体经济组织成员合理补偿、安置的费用,包括土地补偿费、安置补助费、地上附着物和青苗补偿费。

根据土地管理法的规定,征收土地的,按照被征收土地的原用途给予补偿。征收耕地的补偿费用包括土地补偿费、安置补助费以及地上附着物和青苗的补偿费。征地补偿安置方案确定后,有关地方人民政府应当公告,并听取被征地的农村集体经济组织和农民的意见。被征地的农村集体经济组织应当将征收土地的补偿费用的收支状况向本集体经济组织的成员公布,接受监督。根据土地管理法实施条例规定,土地补偿费归农村集体经济组织所有;地上附着物及青苗补偿费归地上附着物及青苗的所有者所有;需要安置的人员由农村集体经济组织安置的,安置补助费支付给农村集体经济组织,由农村集体组织管理和使用;由其他单位安置的,安置补助费支付给安置单位;不需要统一安置的,安置补助费发放给被安置人员个人或者征得被安置人员同意后用于支付被安置人员的保险费用。农业部《关于加强农村集体经济组织征地补偿费监督管理指导工作的意见》(农经发〔2005〕1号)规定,土地补偿费应主要用于被征土地的农民生产生活需要。留归被征地农民部分的土地补偿费归农民个人所有,要充分尊重被征地农民的意愿,不得强迫农民参加商业保险;留归农村集体经济组织的土地补偿费属农民集体资产,应当用于发展生产、增加积累、集体福利、公益事业等方面,不得用于发放干部报酬、支付招待费用等非生产性开支。地上附着物及青苗补偿费归地上附着物及青苗的所有者所有。土地补偿费的分配、使用预算方案要经农村集体经济组织成员大会或成员代表大会批准,事后要将土地补偿费的实际开支、管理情况向农村集体经济组织成员大会或成员代表大会报告。

(八)以借贷、租赁或者其他方式处分村集体财产

财产处分权是财产所有权的重要权能,村民委员会不是村集

体财产的所有权主体，因此村民委员会无权处分村集体财产。村集体财产属于村民共有，因此，无论以什么方式处分村集体财产都要由村民会议来讨论决定。

（九）村民会议认为应当由村民会议讨论决定的涉及村民利益的其他事项

本法采用列举的方式来表述村民会议讨论涉及村民利益事项，这只能将一些带有普遍性的问题列举出来。考虑到我国各地农村情况千差万别，涉及村民利益的具体事项有所不同，因此本条规定，村民会议认为应当由村民会议讨论决定的涉及村民利益的其他事项，也必须由村民会议讨论决定。各地在贯彻村民委员会组织法的过程中，可以结合本地实际情况进一步细化，发挥好村民会议的决策权，充分保障村民的民主权利。

### 二、村民会议对村民代表会议的授权

村民会议可以授权村民代表会议讨论决定第二十四条第一款规定的事项。根据村民会议的授权范围，村民代表会议可以讨论决定第二十四条第一款规定的事项，其决定具有法律效力。

### 三、涉及村集体经济组织财产和成员权益的事项的讨论决定程序

本条的规定可区分为两种情况：一是村民与集体经济组织成员同一的，可以适用本条第一款规定，由村民会议决定，此时村民会议等同于村集体经济组织成员会议。但是适用的法律程序则需要根据不同事项适用不同的法律，如土地承包经营方案须适用物权法、农村土地承包法。二是村民与村集体经济组织成员不是同一的，则会议参加人员范围和程序适用有关法律的规定，其他法律规定由村集体经济组织成员会议决定的，则不能以村民会议决定。

目前，对涉及村集体经济组织财产和成员权益的事项讨论决

定程序另有规定的法律，主要有物权法、农村土地承包法、土地管理法、草原法等。根据物权法，涉及村集体经济组织财产和成员权益的事项主要有：(1)土地承包方案以及将土地发包给本集体以外的单位或者个人承包；(2)个别土地承包经营权人之间承包地的调整；(3)土地补偿费等费用的使用、分配办法；(4)集体出资的企业的所有权变动等事项；(5)法律规定的其他事项。这些事项应当由本集体成员依照法定程序讨论决定。上述事项中第一项、第二项农村土地承包法、土地管理法、草原法已经对相应程序作出明确规定。对于第三项、第四项，物权法规定了讨论决定的主体即村集体经济组织成员会议，并可通过法律、法规规定的程序予以实施。如果其他法律未对涉及村集体经济组织财产和成员权益的事项作出规定，则依据本法和物权法的规定讨论决定。

**第二十五条　人数较多或者居住分散的村，可以设立村民代表会议，讨论决定村民会议授权的事项。村民代表会议由村民委员会成员和村民代表组成，村民代表应当占村民代表会议组成人员的五分之四以上，妇女村民代表应当占村民代表会议组成人员的三分之一以上。**

**村民代表由村民按每五户至十五户推选一人，或者由各村民小组推选若干人。村民代表的任期与村民委员会的任期相同。村民代表可以连选连任。**

**村民代表应当向其推选户或者村民小组负责，接受村民监督。**

**【释义】**　本条是关于村民代表会议设立和人员构成、村民代表的产生和任期的规定。

一、设立村民代表会议的必要性

村民委员会大都是在原来生产大队的基础上设立的，规模较大，人口较多，一般在 1000～3000 人，多的村达到 8000 人，甚至

10000 人，以这样的人口规模召集村民会议非常困难。另外，一些边远山区，行政村往往由几个自然村组成，村落分布广阔，村民居住分散，增加了召开村民会议的难度。再加上农村实行家庭联产承包责任制后，每家每户分别经营管理土地，劳动和闲暇时间不统一，召开全体村民会议的时间更难保证。而且，随着社会人员流动的加大，大量青壮劳动力外出打工或经商，这就给经常性召开村民会议带来了困难。村民委员会组织法修改时，有些代表和地方提出，村民会议讨论涉及村民利益的重大问题，但由于村民会议召开难，不仅导致了组织选举难，也导致法律关于民主决策、民主管理的规定难以落实。许多地方根据实际情况积极探索由村民选举代表组成村民代表会议，讨论本村的重大事项，形成决定草案，提交村民代表会议表决，解决了村民会议召集难的问题，取得了较好的效果。建议明确村民代表会议的法律地位，以强化村民代表会议的作用。

最早明确提出建立“作为民主议事制度的主要形式的村民代表会议”，是 1998 年 10 月 14 日中国共产党第十五届中央委员会第三次全体会议通过的《中共中央关于农业和农村工作若干重大问题的决定》。该决定确立了村民代表会议这一制度，并且指出，“搞好村民自治，制度建设是根本。重点是建立健全村民委员会的民主选举制度，以村民会议或村民代表会议为主要形式的民主议事制度，以村务公开、民主评议和村民委员会定期报告工作为主要内容的民主监督制度。”1998 年九届全国人大第五次会议通过的村民委员会组织法明确规定，“人数较多或者居住分散的村，可以推选产生村民代表，由村民委员会召集村民代表开会，讨论决定村民会议授权的事项。”2010 年修改村民委员会组织法，明确提出了“村民代表会议”的概念，从法律上确立了村民代表会议制度，使之成为经常性议事组织，代行村民会议的部分职权。同时，增加了对村民代表会议构成、村民代表产生、任期等的规定。

二、村民代表会议的设立条件

村民代表会议的设立取决于以下两个条件:一是村的规模,要求人数较多的村才能设立村民代表会议。多少人的村为人数较多的村,法律没有规定,可以由各地根据本地区的人口密集程度和居住状况确定。二是村的区域分布状况,只有居住分散的村才可以设立村民代表会议。一个村由几个甚至多个自然村组成,地域面积较广,交通不便,便可以认定为村民居住分散的村。

村民代表会议代行村民会议的部分职权,是基于村民会议召开困难的现实。如果有的村虽然人口较多,但居住比较集中,且有条件召开村民会议,或者有的村虽然居住分散,但交通方便,人口也不多,比较容易召集村民会议,这时仍应坚持召开村民会议。根据法律规定,人口较多的村或者居住分散的村,可以设立村民代表会议。这里是“可以”而不是“必须”,是为保障村民行使民主权利,避免因村民会议召开难而使村民应有的权利无法行使,根据实际情况选择的一种补充方式,并不是用召集村民代表会议取代村民会议,也不是用村民代表会议来架空村民会议。

三、村民代表会议的职责

根据本法规定,村民代表会议的职责是讨论决定村民会议授权的事项,其自身并没有独立的职权。因而,村民代表会议只有经过村民会议授权,才能就村中有关问题进行讨论,作出决定。同时,村民代表会议决定的事项,不得同村民会议的决定相抵触,也不能超越村民会议的授权。村民会议有权撤销村民代表会议作出的与村民会议决定相抵触的决定,有权撤销村民代表会议越权作出的或者不适当的决定。对于村中的一些重大问题,涉及全体村民切身利益的事项,如选举村民委员会、罢免村民委员会成员、制定村民自治章程和村规民约以及讨论决定本村经济建设及有关公共事务、公益事业的重大事项,必须召开村民会议来讨论解决,以便充分发扬民主，保证和维护大多数村民的利益。

四、村民代表会议的人员构成

村民代表会议的人员构成主要有两部分：一是村民委员会成员；二是村民代表。地方在实践中，对村民代表会议的组成有不同的做法，有的由村民委员会成员、村民代表和居住在本村的各级人大代表组成，有的由村民代表和村民委员会成员组成，有的由村民代表、村民委员会成员和村民小组长共同组成，还有的规定村民代表会议只能由村民代表组成，村民委员会成员只能列席村民代表会议。新修订的村民委员会组织法明确规定村民委员会成员为村民代表会议的法定组成人员，这是因为村民委员会是村民选举出来为村民办事的组织机构，是村民自治的具体组织者和实施者。村民委员会的性质、地位及其职能对村民委员会成员提出了多方面的要求，这决定村民委员会成员一般都具有一定的能力和素质。村民代表会议作为村民会议的补充形式，由村民大会选举产生的村民委员会成员参与其中，能更好地组织村民代表会议履行职权，实现自治。但是，也要防止村民代表会议被村民委员会成员操控，使村民自治成为村干部自治。为此，法律在村民代表会议组成人员构成比例上作了明确要求，即村民代表应当占村民代表会议组成人员的五分之四以上，以降低村民委员会成员在村民代表会议中所占的比例，使村民代表会议讨论决定事项，更能体现村民代表的意志。

关于村民代表会议中妇女代表的比例，法律明确要求妇女村民代表应当占村民代表会议组成人员的三分之一以上。我国农村长期以来受男尊女卑思想影响比较大，男女受教育程度差别较大，农村妇女的家庭和社会地位相对较低，对社会事务的参与程度相对较弱。法律明确规定妇女代表在村民代表会议中的比例，有利于推动农村妇女参与管理社会事务，增强农村妇女的参政议政意识。特别是随着农村人口流动加大,大量男性青壮劳动力外出打工、经商,在农村留守老人、留守妇女、留守儿童现象普遍,妇女成为农村村务管理的重要力量,成为建设社会主义新农村的主力军,法律应当对妇女在村庄治理中的作用予以充分保障。

五、村民代表的产生方式

根据本条规定,村民代表由推选产生,不必经过村民委员会选举的复杂程序。具体方式有两种:一是由村民按户推选产生,按每五户至十五户推选产生一名代表,户数较多的村可以按十五户推选一人,户数较少的村可以按五户推选一人,具体按多少户推选产生一名村民代表,由各地根据实际情况确定;二是由各村民小组推选产生,具体每个村民小组推选产生多少村民代表,也要由各地根据实际情况确定。推选产生村民代表的方式比较灵活,没有特定的程序要求,但是必须充分发扬民主,尊重村民意愿,有利于实行民主决策、民主管理。村民代表应当具备一定的参政议政能力,要有责任心,对本村情况比较熟悉,能够客观反映村民的利益和要求。村民代表还应当具备代表性,反映在年龄、性别、文化程度等各个层面。村民代表的数量要根据本村人口数、居住状况、交通条件、利益分布等情况,由村民会议决定。

六、村民代表的任期和职责

关于村民代表的任期,法律明确规定为与村民委员会的任期相同,因而其任期为三年,但是可以连选连任。由于村民代表会议是村级民主决策的基本组织形式,是代行村民会议部分职责的经常性议事组织,而不是一事一议的临时性组织,村民代表相对稳定,有利于增强村民代表的责任心,使村民代表更密切地联系村民,下情上达,上情下达,积极履行职责,更好地代表村民参与村务的决策、管理和监督,更有效地将讨论通过的村务决定贯彻实施到他所代表的村民之中,同时也便于村民更好地对村民代表进行监督。

村民代表的职责主要是三个方面:一是参加村民委员会召集的会议,讨论决定村民会议授权的事项;二是与推选自己的村民联系,反映他们的意见和建议;三是会议作出决定后,负责向推选自己的村民传达,动员村民认真遵守和执行。

**第二十六条 村民代表会议由村民委员会召集。村民代表会议每季度召开一次。有五分之一以上的村民代表提议,应当召集村民代表会议。**

**村民代表会议有三分之二以上的组成人员参加方可召开,所作决定应当经到会人员的过半数同意。**

**【释义】** 本条是对村民代表会议召集、召开及进行民主决策的法定条件的规定。

村民代表会议是村级民主决策的基本形式之一。为保证村民代表会议根据村民会议授权及时有效地实施民主决策,2010 年修改村民委员会组织法增加规定了村民代表会议的召集、召开及进行民主决策的法定条件。

一、村民代表会议的召集、召开

本条明确规定,村民代表会议由村民委员会召集。在本法修改过程中,对村民代表会议由谁召集曾有不同意见。一种意见认为,应当建立召集人制度,负责召集村民会议和村民代表会议,以避免村民委员会因为各种不同原因而不愿召集村民会议或者村民代表会议。从法律规定来看,村民委员会召集村民代表会议讨论决定村民会议授权的事项,包括讨论决定本村享受误工补贴的人员及补贴标准、从村集体经济所得收益的使用、本村公益事业的兴办和筹资筹劳方案及建设承包方案、宅基地的使用方案等;另一种意见认为，经村民会议授权，村民代表会议审议村民委员会的年度工作报告，评议村民委员会成员的工作，撤销或者变更村民委员会不适当的决定。村民委员会是村民选举出来为村民办事的组织机构，是村民自治的具体组织者和实施者，它不仅可以通过召集村民会议而且可以通过召集村民代表会议组织讨论决定涉及本村经济及公益事业发展等村务管理方面的事项。当然，就村民代表会议审议村民委员会的年度工作报告，评议村民委员会成员的工作，撤销或者变更村民委员会不适当的决定这三项内容来说，因涉及对村民委员会自身及其成员的工作评价，如果村民委员会成员尤其是主要成员对自身工作获得评价的把握不是很大的话，有可能不会主动召集村民代表会议。但是，法律规定的村民委员会召集村民代表会议既是一种权利，也是一种义务，既可以主动召集，也可以被动召集。当有五分之一以上的村民代表提出建议召开村民代表会议时，村民委员会应当召集村民代表会议。这就对村民委员会不主动召集村民代表会议进行了补救。

此外，法律从时间上对村民代表会议的召开提出了要求，即村民代表会议每季度召开一次。这是对村民代表会议召开的最少次数要求。一个季度一次例会，是对村民代表会议召开的定期要求，解决了村民代表会议制度执行过程中的随意性，以此体现村民代表会议制度的权威性和严肃性。这同时有利于村民代表会议及时商议本村事务，有利于村民委员会更好地贯彻落实村民自治意愿，也有利于村民代表会议对村民委员会工作的监督。当然，根据实际情况和需要，村民代表会议可以根据五分之一的村民代表提议而不定期召开，以解决因某些特殊情况而随时召开村民代表会议的情形。

## 二、村民代表会议召开及进行民主决策的法定条件

村民代表会议有三分之二以上的组成人员参加方可召开。村

民代表会议召开的合法性从程序上讲:一是取决于其是否符合法定的召集会议要求;二是取决于其是否达到法定的出席人数要求。如果村民委员会自行召集或者根据五分之一的村民代表提议召集村民代表会议,但出席村民代表会议的村民代表人数没有达到法律规定的三分之二,则由于村民代表的代表性不足法定要求的人数,村民代表会议就不能召开。根据村民委员会组织法第二十五条的规定,村民代表会议由村民委员会成员和村民代表组成;村民代表由村民按每五户至十五户推选一人或者由各村民小组推选若干人的方式产生。由此,村民代表会议的规模人数远低于村民会议。一个村民代表往往代表着多户农民家庭,如果出席村民代表会议的组成人员的人数要求过低,则其所代表的农户就越少,村民的意愿就不能在村民代表会议得到充分体现。当然,村民代表到会的人数比例要求也不能过高。不少村民代表外出打工或者经商,影响了出席村民代表会议的到会率。

法律不仅对出席村民代表会议的人数规定了具体要求,对所作决定的通过人数也作了规定,所作决定应当经到会人员的过半数同意,以此保证所作决定的代表性、权威性。

召开村民代表会议,应当充分保障村民代表的知情权,调动村民代表履职的积极性和主动性,保证村民代表履行决策和监督职能。村民代表会议讨论的具体事项,在村民代表会议召开之前,应当事先通告村民代表,以便村民代表广泛征求村民意见,代表村民利益和意愿,参与有关问题的讨论;村民代表会议作出的决策和达成的决定,必须尽快向广大村民公布和宣传,以利于村民代表会议决议和决定的顺利贯彻,推动村民自治和依法治村的落实。

**第二十七条　村民会议可以制定和修改村民自治章程、村规民约,并报乡、民族乡、镇的人民政府备案。**

**村民自治章程、村规民约以及村民会议或者村民代表会议的**

**决定不得与宪法、法律、法规和国家的政策相抵触，不得有侵犯村民的人身权利、民主权利和合法财产权利的内容。**

**村民自治章程、村规民约以及村民会议或者村民代表会议的决定违反前款规定的，由乡、民族乡、镇的人民政府责令改正。**

**【释义】** 本条是关于村民自治章程和村规民约的规定。

我国宪法规定："国家通过普及理想教育、道德教育、文化教育、纪律和法制教育，通过在城乡不同范围的群众中制定和执行各种守则、公约，加强社会主义精神文明的建设。"村民自治中的"村民自治章程和村规民约"，就是宪法这一规定中"各种守则、公约"的具体形式。《中共中央关于农业和农村工作若干重大问题的决定》中指出，要"全面推进村级民主管理。依据党的方针政策和国家的法律法规，结合本地实际，全体村民讨论制定村民自治章程和村规民约，把村民的权利和义务，村级各类组织之间的关系和工作程序，以及经济管理、社会治安、村风民俗、婚姻家庭、计划生育等方面的要求，规定得明明白白，加强村民的自我管理、自我教育、自我服务"。村民自治是村民民主选举、民主决策、民主管理和民主监督构成的有机整体。其中，民主管理的核心内容是依法建制，以制治村，即村民根据国家法律法规和政策，立足于本村的实际情况，制定本村的章程和规则，建立各种村级管理制度，然后以制度进行治理，实行村级的规范化管理。

### 一、村民自治章程的概念及内容

村民自治章程是村民会议根据国家法律、法规和政策，结合本村实际制定并通过的涉及村民自治活动和村务管理主要内容的综合性规范，是村民自治规章体系中层次最高、内容最全、结构最完整的一种村规民约，被形象地称为农村的"小宪法"。

各地制定村民自治章程没有固定的模式，内容也不尽一致，但一般涵盖了从村民自治组织的产生到村民的权利义务，从村庄经济的管理到村庄秩序的建立，从国家政令、任务的完成到社会治安的维持、村风民俗的倡导等多方面的内容，具体包括：一是村级组织方面。主要是村民会议和村民代表会议的组成、职权和会议制度；村民委员会的产生办法、职责、工作制度和下设机构；村民小组的划分和村民小组长的产生办法和职责；村干部的行为规范；村民委员会同村党支部、村集体经济组织的关系等。二是村民的权利和义务方面。村民在村民自治活动中享有的权利，如选举权、罢免权、监督权、知情权、批评建议权等；应当履行的义务，如遵纪守法、遵守村民自治章程和村规民约等。三是经济管理及社会发展方面。包括劳动积累、土地的管理及使用、农村社会化服务、财务管理、村办企业管理、村级公共事务及公益事业办理等。四是社会秩序和精神文明建设方面。包括社会治安、村风民俗、邻里关系、计划生育、婚姻家庭等。也有一些村民自治章程对社会保障、救灾救济、村干部廉政建设等方面内容作了相应规定。

二、村规民约的概念及内容

村规民约是村民会议根据国家法律、法规和政策，结合本村实际情况，讨论制定的某一方面的行为规范。与村规民约相比，村民自治章程更为规范，更加全面、系统，也更具权威性。村规民约的种类很多，内容也十分广泛，涉及农村社会生活的方方面面，主要有：一是维护生产秩序方面的。如封山育林、护山护林、禁止滥砍乱伐，保护水利设施、合理用水，禁止乱放家禽、牲畜，保护生态环境等。二是维护社会治安方面的。如遵纪守法、不偷盗、不赌博、不吸毒、不打架斗殴等。三是履行法律义务方面的。如实行计划生育、爱护集体财产、响应国家号召服兵役等。四是精神文明方面的。如提倡热爱祖国、热爱共产党、热爱社会主义、热爱劳动；讲礼貌、尊老爱幼、团结互助，不虐待老人、妇女和儿童；讲文明、讲卫生，保护环境；学科学、学文化、移风易俗，反对封建迷信；积极参加公益活动等。

## 三、制定村民自治章程、村规民约必须遵循的原则

### （一）合法性原则

村民自治章程、村规民约以及村民会议或者村民代表会议的决定不得与宪法、法律、法规和国家的政策相抵触，不得有侵犯村民的人身权利、民主权利和合法财产权利的内容。这就要求村民在制定村民自治章程和村规民约过程中，要依法立约。村民自治章程、村规民约以及村民会议或者村民代表会议的决定，不得与宪法、法律法规和国家政策规定不一致；不得与宪法、法律法规和国家政策的精神和宗旨相违背；不得超越村民自治章程和村规民约的权限范围；不得规定不适当的处罚措施。

### （二）民主性原则

村民是制定村民自治章程和村规民约的主体，也是实践村民自治章程和村规民约的主体。为了保证制定出来的村民自治章程和村规民约得到村民的真正拥护，要充分发扬民主，坚持走群众路线，提高村民对制定村民自治章程和村规民约重要性的认识，让村民广泛参与，从群众中来，到群众中去，使村民自治章程和村规民约真实地反映全体村民的共同利益和愿望，使广大村民能自觉自愿地遵守执行村民自治章程和村规民约。

### （三）实效性原则

制定村民自治章程和村规民约，要切合实际，从本村实际出发，充分考虑本村的风土人情、村民文化水平、经济状况、交通地理资源等自然条件，尊重村民的意见和合理要求，做到有的放矢，不能简单照抄照搬法律法规、政策条文，或完全仿效其他村的做法，也不应一味地贪大求全，要合理可行，便于操作。另外，文字要简洁明了，形式要生动活泼，易记易懂，便于村民遵守执行。

## 四、制定村民自治章程、村规民约的程序

村民自治章程和村规民约的制定必须符合法定的程序，须经村民会议制定通过。首先，村民委员会根据本村的实际情况，针对需要解决的实际问题和村民普遍关心的事项以及与本村发展和建设密切相关的问题，通过调查研究，广泛征求意见，提出村民自治章程需要规定的内容，确定在哪些方面制定村规民约。其次，就提出的内容和事项，发动村民广泛讨论提出意见，由村民委员会集中村民意见，拟定村民自治章程和村规民约草稿，再次征求村民意见。再次，根据村民讨论意见作进一步修改完善，提交村民会议表决。村民会议表决村民自治章程和村规民约，应当有本村十八周岁以上村民的过半数，或者本村三分之二以上的户的代表参加，并经到会人员的过半数通过。最后，村民自治章程和村规民约通过后，要以适当形式公布。可以印发各家各户，也可以张贴公布。

制定村民自治章程和村规民约：一要防止村干部脱离群众，闭门造车，自行制定条文；二要防止由上级政府统一提出条文内容，群众只是简单举手通过。要避免村民自治章程和村规民约成为“官约”，流于形式，影响村民自治的真正实现。村民自治章程和村规民约制定以后也不是一成不变的，在保持其相对稳定的同时，还要根据实际情况适时修改、完善。

## 五、乡镇政府对村民自治章程、村规民约及村民会议、村民代表会议所作决定的备案和监督

村民自治组织的规章制度，包括村民自治章程、村规民约、村务规范化管理规定等，它们是我国村民自治法律制度体系的重要组成部分，对于维护农村的发展与稳定，提高村民的法律意识，实现村民自治具有积极的意义。但是由于受传统道德观念、风俗习惯及社会经济发展水平的影响，有些地方的村民自治章程和村规民约仍存在与现行法律或法律精神相抵触的情形。在村民委员会

组织法修改过程中，有些常委委员、部门和地方指出，一些地方的村民自治章程、村规民约以及村民会议或者村民代表会议所作决定存在违反法律、法规，侵害村民利益的情况，应当加强乡镇政府对村规民约及村民会议或村民代表会议所作决定的指导和监督。为此，村民委员会组织法修改增加了乡、民族乡、镇的人民政府对村民自治章程、村规民约以及村民会议或者村民代表会议所作决定进行备案和监督的规定。

村民自治章程、村规民约根据国家法律法规、政策制定，并且要报乡、民族乡、镇的人民政府备案。目的是让乡镇政府对村民自治章程和村规民约进行审查把关。村民自治章程和村规民约的效力来自两个方面：一是内容合法，二是程序合法，两者同时具备。乡镇人民政府对村民自治章程和村规民约进行备案时，首先要审查其制定程序是否符合国家法律规定，是否经村民会议讨论通过。其次重点审查其内容是否符合国家法律法规、政策的规定，是否侵犯了村民的合法权益。符合内容合法和程序合法的，予以备案。村民自治章程、村规民约以及村民会议或者村民代表会议的决定与国家法律法规和政策相抵触的，乡、民族乡、镇的人民政府应当责令村民委员会及时将有关问题交村民会议或者村民代表会议讨论、纠正和完善。

**第二十八条　召开村民小组会议，应当有本村民小组十八周岁以上的村民三分之二以上，或者本村民小组三分之二以上的户的代表参加，所作决定应当经到会人员的过半数同意。**

**村民小组组长由村民小组会议推选。村民小组组长任期与村民委员会的任期相同，可以连选连任。**

**属于村民小组的集体所有的土地、企业和其他财产的经营管理以及公益事项的办理，由村民小组会议依照有关法律的规定讨论决定，所作决定及实施情况应当及时向本村民小组的村民公布。**

**【释义】** 本条是关于村民小组的规定。

我国农村的村民小组是由人民公社时期的生产队演变而来的。十一届三中全会以后，我国农村全面推行家庭联产承包责任制，那种财产公有、紧密合作、集中劳动的生产队体制瓦解，以原有的生产队为基础地域、人员因素，相继成立了村民小组。至于规模，村民小组可以由几户、十几户组成，情况不一，如人口稀疏的西部地区，组与组之间可以有几户至几十户的差异，而在人口密度高的中部、东南沿海地区，多以 30～50 户为主，有的则近百户。在我国农村，集体所有的土地根据不同历史沿革情况分别属于不同的农民集体所有，其中乡（镇）级和村级所占比重很小，可以说田土山水基本上一直是以村民小组为所有制的基本单位。土地以村民小组为单位所有，决定了农村基本的生产经营活动离不开村民小组，即便在同一个村的范围内，各组在资源配置、地理位置优劣、财力状况等诸多方面也存在差异。因此，发展农村基层民主，切实落实村民自治，仅仅依靠村民委员会是不够的，必须充分调动、发挥村民小组这一最基层经济组织的作用。为了切实保障村民依法办理自己的事情，保障村民利益不受侵害，2010 年修改村民委员会组织法，增加了村民小组会议制度，细化了村民小组会议召开及表决通过决定的条件，明确了村民小组组长的任期，对属于村民小组的集体所有的土地、企业和其他财产的经营管理以及公益事项的办理，与有关法律规定作了链接。

一、召开村民小组会议的条件及讨论通过决定的条件

村民小组是村民自治共同体内部的一种组织形式，是自治的一个层次。按照法律规定，召开村民小组会议，应当由本村民小组十八周岁以上的村民三分之二以上，或者本村民小组三分之二以上的户的代表参加。由此，村民小组会议有两种形式：一是由三分之二以上年满十八周岁的本村民小组村民参加；二是由本村民小

组三分之二以上的户的代表参加。

由三分之二以上年满十八周岁的本村民小组村民参加的村民小组会议要求：首先，参加村民小组会议的必须是本村民小组村民。其次，本村民小组成员必须年满十八周岁。参加村民小组会议的村民，具有推选村民代表会议代表和村民小组组长；依法讨论决定本村民小组集体资产经营管理及公益事项办理的职责，因而与民事法律关系中的完全民事行为能力人不同，十六周岁以上十八周岁以下的村民，即使已经参加了生产劳动，以自己的劳动收入为主要生活来源，也不能参加村民小组会议。

由本村民小组三分之二以上的户的代表参加的村民小组会议，是以户为单位组织召开的。这是因为，家庭承包经营是我国农村最基本的经济制度，家庭是农村最基础的生产单位，每个家庭都有共同的经济利益和要求，以户为单位派代表参加村民小组会议，使得民意表达之广涵盖了本村民小组的每户家庭，能够将本村民小组内村民各方面的意见反映出来。当然，作为村民小组的户的代表，也应当满足年满十八周岁的条件。由户的代表参加的村民小组会议只是一种补充形式，通常情况下，应当尽可能召集本村民小组十八周岁以上的村民召开村民小组会议，以使本村民小组村民的意见得到最全面、最充分的体现。

此外，召开村民小组会议，无论是年满十八周岁的本村民小组村民还是本村民小组的户的代表参加，都必须符合法律规定的三分之二的出席比例要求，这是法律规定的最低出席比例要求。相对于村民会议而言，参加村民小组会议的村民的居住分布状况相对集中、人数规模相对较小，因而法律规定的出席村民小组会议的十八周岁以上本村民小组村民三分之二以上的比例要求也要高于村民会议过半数的比例要求。

村民小组会议的表决制度应当遵从少数服从多数的民主集中制原则，即村民小组所作决定应当经到会人员的过半数同意，只有这样作出的决定,才能对全体村民小组成员有约束力。

## 二、村民小组组长的产生、职责及任期

村民小组组长由村民小组会议推选产生。推选的方式比较灵活,可以是一人或几人推荐,其他人同意,也可以是由村民小组成员推荐候选人,然后由全组村民投票表决。无论采取何种方式,都要充分发扬民主,反映全组村民的真实意愿。

关于村民小组组长的任期,法律明确规定与村民委员会的任期相同,因而其任期为三年,但是可以连选连任。村民小组组长的主要职责:一是收集并向村民委员会反映本组村民的建议、意见;二是向本组村民传达村民委员会作出的有关决定;三是协助村民委员会办理本村的公共事务和公益事业。

## 三、属于村民小组的集体所有的土地、企业和其他财产的经营管理以及公益事项的办理程序

村民小组作为一种村民组织形式,负责经营、管理属于村民小组的集体土地和其他财产。根据土地管理法、农村土地承包法、物权法等法律规定,我国农村土地所有权分为两种:一种属于全体村民所有,由村集体经济组织或者村民委员会经营、管理;另一种属于村民小组集体所有,由村民小组经营、管理,在发包时,由村民小组作为发包方,承包给村民经营。此外,村民小组兴办的集体企业,也应当由村民小组经营、管理,或者由村民小组承包给村民经营。

如何明确村民小组作为集体所有权主体所享有的权利,如何在此问题上处理好村民委员会组织法与土地管理法、农村土地承包法、物权法等法律的关系,2010 年村民委员会组织法修改增加了法律之间的衔接规定,即属于村民小组的集体所有的土地、企业和其他财产的经营管理以及公益事项的办理,由村民小组会议依

照有关法律的规定讨论决定。土地管理法、农村土地承包法、物权法等法律的相关规定主要包括两个方面:一是由集体所有权的归属所确定的集体土地和其他财产的经营管理主体。农民集体所有的土地依法属于村农民集体所有的,由村集体经济组织或者村民委员会代表集体行使所有权,进行经营、管理,土地承包时由村集体经济组织或者村民委员会发包;已经分别属于村内两个以上农村集体经济组织的农民集体所有的,由村内各该集体经济组织或者村民小组代表集体行使所有权,进行经营、管理,土地承包时由村内各该农村集体经济组织或者村民小组发包。属于乡镇农民集体所有的,由乡镇集体经济组织代表集体行使所有权,进行经营、管理。二是讨论决定土地承包或其他集体资产处置的成员范围和决定程序。根据物权法第五十九条的规定,农民集体所有的不动产和动产,属于本集体成员集体所有。土地承包方案以及将土地发包给本集体以外的单位或者个人承包,个别土地承包经营权人之间承包地的调整,土地补偿费等费用的使用、分配办法,集体出资的企业的所有权变动等事项,应当依照法定程序经本集体成员决定。根据农村土地承包法的规定,承包方案或者发包方将农村土地发包给本集体经济组织以外的单位或者个人承包,应当经本集体经济组织成员的村民会议三分之二以上成员或者三分之二以上村民代表的同意。因此,就村民小组来说,属于村民小组集体所有的土地和其他财产,由村民小组集体行使所有权,土地承包和发包给本村民小组以外的单位或者个人承包时,应当经村民小组会议三分之二以上的成员或者三分之二以上的户的代表的同意。

为便于本村民小组成员了解和监督本村民小组集体土地和其他财产的情况,村民小组会议就村民小组集体所有的土地、企业和其他财产的经营管理以及公益事项办理所作的决定以及实施情况,应当及时向本村民小组的村民公布。

# 第五章　民主管理和民主监督

**第二十九条　村民委员会应当实行少数服从多数的民主决策机制和公开透明的工作原则，建立健全各种工作制度。**

**【释义】** 本条是关于村民委员会活动的决策机制、工作原则和工作制度的规定。

自本法施行和中共中央办公厅、国务院办公厅《关于在农村普遍实行村务公开和民主管理制度的通知》（中办发〔1998〕9号）下发以来，全国农村普遍实行了村务公开和民主管理制度，为促进农村改革、发展和稳定发挥了重要作用。但也应看到，一些地方在民主管理和民主监督中还存在重形式、轻实效，决策不民主，制度不健全等问题，影响到村民自治权利的依法行使，有必要对健全村民委员会民主决策机制、工作原则和工作制度提出要求、作出规定。

## 一、实行少数服从多数的民主决策机制

### （一）少数服从多数

少数服从多数，是民主活动的基本方式，即要求充分发扬民主，集体议事，使人民的意愿和要求得到充分表达和反映，在此基础上集中正确意见，集体决策，使人民的意愿和要求得以落实和满足。在村民自治决策中实行少数服从多数，就是要求按照参加决策人员中多数人的意见作出决定。

少数服从多数的“多数”，是指两种情形：

一是，“多数”是指过半数，是对村民民主决策自治事务的一般性要求。本法规定，召开村民会议、村民代表会议和村民小组会议，所作决定应当经到会人员的过半数通过或同意。本法未对村

集体经济组织的村民（成员）会议或村民（成员）代表会议在作出决定时所需的表决人数比例提出明确要求，但根据有关法律、法规和规章的规定，在讨论决定如筹资筹劳方案等一般性事务时，所作决定应当经到会人员或者村民（成员）代表所代表的户的过半数通过。

二是，“多数”是指三分之二以上多数，是对村民民主决策自治事务的特殊性要求，通常情况下在法律中有关于表决人数比例要求的规定。根据本法及有关法律的规定，召开村民会议、村民代表会议、村集体经济组织的村民（成员）会议或村民（成员）代表会议，法律对召开会议、讨论决定事项和作出决定另有规定的，依照法律规定执行。村民小组会议讨论决定属于村民小组的集体所有的土地、企业和其他财产的经营管理以及公益事项的办理，由村民小组会议依照有关法律的规定讨论决定。对此，农村土地承包法、土地管理法等法律有明确的规定。如农村土地承包法第十八条规定，承包方案应当依法经本集体经济组织成员的村民会议三分之二以上成员或者三分之二以上村民代表的同意。土地管理法第十四条也规定，在土地承包经营期限内，对个别承包经营者之间承包的土地进行适当调整的，必须经村民会议三分之二以上成员或者三分之二以上村民代表的同意，并报乡（镇）人民政府和县级人民政府农业行政主管部门批准。第十五条规定，农民集体所有的土地由本集体经济组织以外的单位或者个人承包经营的，必须经村民会议三分之二以上成员或者三分之二以上村民代表的同意，并报乡（镇）人民政府批准。

就村民委员会而言，由于村民委员会由三至七人组成，人数较少，为了使村民委员会作出的决定更符合广大村民的意愿，避免少数人专断特别是个人专断，应当实行少数服从多数的表决制度，即应获得全体村民委员会成员的过半数赞成，才能作出决定。

在实际工作中要注意，实行少数服从多数的民主决策，必须是在参与讨论决定自治事务的村民或者村民代表充分表达真实意愿的基础上作出决策。在决策过程中，要坚决反对无政府主义的“大民主”，反对把个人意志凌驾于集体之上。尤其是在涉及农民土地承包权问题上，必须按照农村土地承包法、土地管理法、中共中央《关于做好农户承包地使用权流转工作的通知》（中发〔2001〕18 号）等法律、政策文件的规定，坚决杜绝村民委员会用少数服从多数的办法强迫农户放弃承包权或改变承包合同、假借少数服从多数强迫承包方进行土地承包经营权流转。

（二）少数服从多数的民主决策机制

村民委员会实行少数服从多数的民主决策机制，是指实行能够保障按照少数服从多数的民主原则进行决策的程序、办法等工作机制。包括两个方面：

一是，实行少数服从多数民主决策的程序和方法。本法对村民委员会民主决策的工作机制作了原则规定，各村民委员会要结合本村的实际情况，总结经验，建立健全各种工作制度，将村民委员会开展各项工作的程序和方法纳入规范化、制度化轨道。如 2010 年 1 月 1 日中共中央、国务院《关于加大统筹城乡发展力度进一步夯实农业农村发展基础的若干意见》（中发〔2010〕1 号）中指出，发展和完善党领导的村级民主自治机制，因地制宜推广本村重大事项由村党支部提议、支委会和村民委员会联席会议商议、全村党员大会审议、村民代表会议或村民会议决议以及决议公开、实施结果公开等民主决策的工作机制。

二是，实行防止违背少数服从多数民主决策的纠错机制。本法第二条第三款规定，村民委员会向村民会议、村民代表会议负责并报告工作。第二十三条规定，村民会议、经村民会议授权的村民代表会议，审议村民委员会的年度工作报告，有权撤销或者变更村民委员会不适当的决定。村民会议、村民代表会议是比村民委员会更高一级的村级民主决策的基本组织形式，它们在更大范围的村民群体中实行少数服从多数的民主决策。实行村民委员会向村民会议、村民代表会议负责并报告工作制度，特别是通过村民会议、村民代表会议撤销或者变更村民委员会不适当的决定，有利于防止假借“少数服从多数”的名义侵害村民利益行为的发生，更加有利于少数服从多数的民主决策制度的落实。

二、实行公开透明的工作原则

公开透明的工作原则，是指村民委员会在开展工作过程中，要始终本着保障和维护村民的知情权、参与权、决策权和监督权的精神，自觉地将村民委员会履行职责的过程和结果及时、全面、真实地向村民公开，让村民知晓的原则。公开透明的工作原则包括以下含义：一是，村民委员会开展工作的各项制度、程序要公开透明。二是，村民委员会组成人员的分工和职责，权利和义务要公开透明。三是，村民委员会开展工作的情况要公开透明。包括依法公布应当向村民公布的事项；村民委员会讨论决定职权范围内的村级事务的决策过程、决策结果和村务档案；决策结果的执行和办理情况，都应当向村民公开。四是，对村民委员会及其组成人员的监督情况要公开透明。包括村民对村务公开提出的疑问和要求的办理结果；对村民委员会及其成员的村务监督情况；对村民委员会成员实行任期和离任经济责任审计的情况；以及按照《关于组织开展村务公开和民主管理工作督查的通知》（民电〔2007〕99 号）、《关于开展村务公开和民主管理“难点村”治理工作的若干意见》（民发〔2009〕20 号）等文件规定，自觉接受村务公开协调机构对村务公开的督查情况，都应当向村民公开。

三、建立健全各种工作制度

村民委员会要实行少数服从多数的民主决策机制和公开透明的工作原则，根本在于制度保障。村民委员会要把规范村级重大事务的决策、管理、监督程序作为工作的重点，用制度约束村民委员会成员和村民，使权力有制约，村民委员会成员受监督。制度建设要以法律、法规和政策为依据，以实际、实用、实效为原则，建立健全“两委”联席会议议事制度、村民会议或村民代表会议议事制度、村民自治章程、村务公开制度、财务公开制度、村民委员会年终总结报告制度、村民委员会成员任期离任审计制度、党风廉政建设制度等，凡是需要公开的村务工作和被列入民主管理范围的工作，都要依法建制，有制可依，按制办事。

**第三十条　村民委员会实行村务公开制度。**

**村民委员会应当及时公布下列事项，接受村民的监督：**

**（一）本法第二十三条、第二十四条规定的由村民会议、村民代表会议讨论决定的事项及其实施情况；**

**（二）国家计划生育政策的落实方案；**

**（三）政府拨付和接受社会捐赠的救灾救助、补贴补助等资金、物资的管理使用情况；**

**（四）村民委员会协助人民政府开展工作的情况；**

**（五）涉及本村村民利益，村民普遍关心的其他事项。**

**前款规定事项中，一般事项至少每季度公布一次；集体财务往来较多的，财务收支情况应当每月公布一次；涉及村民利益的重大事项应当随时公布。**

**村民委员会应当保证所公布事项的真实性，并接受村民的查询。**

**【释义】**　本条是关于村务公开制度的规定。

实行村务公开制度，有利于村民自治逐步走上规范化、制度化和程序化的轨道，有利于强化村民对村民自治事务的监督，有利于引导村民委员会成员按章、公开透明地办事。对此，党和国家高度重视，先后在《关于健全和完善村务公开和民主管理制度的意见》（中办发〔2004〕17 号）、《关于加强农村基层党风廉政建设的意见》(中办发〔2006〕32号)、《关于积极发展现代农业扎实推进社会主义新农村建设的若干意见》(中发〔2007〕1号)、《关于切实加强农业基础建设进一步促进农业发展农民增收的若干意见》(2007年12月31日)和《关于加大统筹城乡发展力度进一步夯实农业农村发展基础的若干意见》(中发〔2010〕1号)中,对实行和完善村务公开制度提出了明确要求,指导村务公开工作向深入持久的方向发展。

## 一、村务公开制度

村务公开制度是指村民委员会根据法律和其他有关规定,将村民委员会办理村民自治事务的情况按照一定的程序、时间和形式等要求,及时、全面、真实地向村民公开,让村民了解实情,接受村民监督的村务管理制度。

目前,除本法规定外,各省、自治区、直辖市以及一些较大的市,根据本地实际情况,结合村务公开实践,普遍制定了规范村务公开的地方性法规、规章,进一步细化了村务公开制度的内容。这些地方性法规、规章也是村务公开的依据。其他法律、行政法规、行政规章以及党和国家的政策文件对村务公开有专门规定和要求的,也要严格遵守执行。

## 二、村务公开的内容

村务公开的内容包括村务决策、办理过程、办理结果和村务监督等,凡是与村民切身利益密切相关以及村民普遍关心的事项,都应按照规定向村民公开,接受村民监督。根据本条的规定,村务公开的内容包括以下几个方面:

(一)本法第二十三条、第二十四条规定的由村民会议、村民代表会议讨论决定的事项及其实施情况

具体有:(1)本村享受误工补贴的人员及补贴标准;(2)从村

集体经济所得收益的使用;(3)本村公益事业的兴办和筹资筹劳方案及建设承包方案;(4)土地承包经营方案;(5)村集体经济项目的立项、承包方案;(6)宅基地的使用方案;(7)征地补偿费的使用、分配方案;(8)以借贷、租赁或者其他方式处分村集体财产;(9)村民会议认为应当由村民会议讨论决定的涉及村民利益的其他事项。根据法律规定,可以由村民会议或者村民代表会议讨论决定村集体经济组织财产和成员权益的事项。

村民会议是村民自治的最高决策形式,村民代表会议要根据村民会议的授权行使权力,村民委员会及其成员的工作情况要接受村民会议或者村民代表会议的监督。因此,本法第二十三条规定的村民会议、村民代表会议审议村民委员会年度工作报告、评议村民委员会成员工作的情况,村民会议、村民代表会议撤销或者变更村民委员会不适当的决定情况,以及村民会议撤销或者变更村民代表会议不适当的决定情况,都应当向村民公布。

(二)国家计划生育政策的落实方案

计划生育是我国必须长期坚持的基本国策。目前,由于各种因素的影响,实行计划生育,稳定低生育水平,尤其是在农村仍有相当难度。为保证国家计划生育政策切实得到贯彻执行,中共中央、国务院在《关于加强人口与计划生育工作稳定低生育水平的决定》(中发〔2000〕8 号)中强调指出,要继续把计划生育工作重点放在农村,把计划生育工作作为农村基层组织建设的重要内容,积极推进村民自治,实行计划生育村务公开。国家人口和计划生育委员会等部门还制定、印发了《关于加强和完善村级计划生育民主管理和民主监督的意见》(国人口发〔2004〕85 号)、《计划生育村民自治规范》(国人口发〔2008〕66 号)等规范、文件,对全面推行计划生育村务公开作出了具体规定。计划生育村务公开要求:(1)凡是群众普遍关心、涉及群众切身利益、需要群众监督的计划生育事项都要公开;(2)人口和计划生育相关的政策法规,公民实行计划生育应享有的权利和义务，人口和计划生育办事规则与程序，以及工作纪律和维权举报电话等内容要长期公开；(3)本村再生育申报、生育、违法生育处理、奖励和扶助制度落实等情况要定期公开。

(三)政府拨付和接受社会捐赠的救灾救助、补贴补助等资金、物资的管理使用情况

1.救灾救助资金、物资的管理使用情况要公开。包括两种情形：(1)用于抢险救灾、赈济灾民的救灾救助资金、物资。为应对自然灾害，减轻因自然灾害给人民群众的生命财产所造成的损失，帮助人民群众恢复生产，重建家园，国家建立了救灾救助制度。2010年7月8日，国务院颁布《自然灾害救助条例》(国务院令第577号)规定，村民委员会依法协助人民政府开展自然灾害救助工作。受灾地区村民委员会应当公布救助对象及其接受救助款物数额和使用情况。除此之外，民政部关于印发《受灾人员冬春生活救助工作规程》的通知(民发〔2009〕141号)，对确定救助对象、制发救助卡片、发放救灾款物等作出了规定；中央纪委、监察部、民政部、财政部、审计署《关于加强对抗震救灾资金物资监管的通知》(2008年5月20日)、《民政部关于加强救灾款物管理使用工作的通知》(民发〔1999〕55号)等文件，对管好用好救灾救助资金、物资以及发放公开工作也作了规定。(2)用于日常帮扶农村特困户(主要是因病因残丧失劳动力、鳏寡孤独、因灾害等造成家庭生活常年困难的农户)的救济救助资金、物资。农村特困户是农村困难群众中最困难的群体，自救能力差，迫切需要政府给予必要的救济，以确保他们的基本生活。做好对农村特困户的救济工作，是各级政府义不容辞的责任。村民委员会在这项工作中，要协助政府做好对特困户的认定工作，对此，《关于进一步做好农村特困户救济工作的通知》(民办发〔2003〕6号)要求，特困户的认定要经村民会议或者村民代表会议评议、村民委员会申报，乡镇政府审核、

县级民政部门核准，经县级民政部门核准的救济对象，要在其所在村民委员会张榜公布，接受群众监督。管理使用救灾救助资金、物资公开的内容，包括接受救灾救助款物的来源、数量，发放对象、发放标准、发放数量和发放时段等。

2. 补贴补助的资金、物资管理使用情况要公开。补贴补助是中央各项支农惠农政策的具体体现，主要包括种粮直接补贴、良种补贴、退耕还林补助、农机具购置补贴、农资综合直接补贴、新型合作医疗补助、农村计划生育奖励扶助、农村最低生活保障资金、农村医疗救助、贫困家庭子女教育资助等，涉及每个农民家庭的切身利益，必须让每个农民都了解、都清楚、都受益。为此，民政部《关于做好村务公开目录编制工作的指导意见》（2007 年 9 月 13 日）规定，支农惠农政策作为村务公开的内容，应当向村民公开。在《关于做好 2009 年减轻农民负担工作的意见》（农经发〔2009〕3 号）、《关于做好 2010 年减轻农民负担工作的意见》（农经发〔2010〕3 号）中也指出，支农惠农政策的内容要公示，各级有关部门要加强对农民补贴补助资金落实情况的督促检查，使农民应得的补贴补助资金及时到位。管理使用补贴补助的资金、物资公开的内容，包括补贴标准、补贴人名单、补贴金额及兑现情况等。总之，管理使用救灾救助、补贴补助等资金、物资，要做到管理使用规定公开、数额公开、程序公开、结果公开，防止在管理使用中截留、私分、挤占、冒领、抵扣和挪用等行为发生。

（四）村民委员会协助人民政府开展工作的情况

村民委员会协助人民政府开展工作的事项，在有关法律、行政法规和地方性法规中有明确的规定。村民委员会协助人民政府开展工作的事项，不仅涉及法律法规的贯彻执行，而且涉及党和国家的各项政策在农村的落实，体现在具体工作上，包括协助人民政府从事：（1）救灾、抢险、防汛、优抚、扶贫、移民、救济款物的管理；（2）社会捐助公益事业款物的管理；（3）国有土地的经营和管理；

(4)征地补偿费用的管理;(5)有关计划生育、户籍、征兵工作;(6)协助人民政府从事卫生防疫管理、本村庄的规划建设管理、村级道路的建设和养护、医疗救助、维护社会治安等其他工作。这些事项做得好坏,攸关群众的利益,应当向村民公开,接受村民监督。

(五)涉及本村村民利益,村民普遍关心的其他事项

由于村与村之间在经济、社会发展程度和民主管理方面的情况千差万别,村民对村务公开的要求也不一样,要根据本法,结合本村的实际情况和国家有关规定来确定村务公开的具体事项范围。中共中央办公厅、国务院办公厅《关于健全和完善村务公开和民主管理制度的意见》(中办发〔2004〕17号)、民政部《关于做好村务公开目录编制工作的指导意见》(2007年9月13日)都指出,村务公开要坚持普遍性要求和特殊性要求相结合的原则,既要把国家有关法律法规和政策明确要求公开的事项纳入村务公开范围,又要把本地特有的涉及村民切身利益的事项纳入村务公开范围;要根据农村改革发展的新形势、新情况,及时丰富和拓展村务公开内容;农民群众要求公开的其他事项,也应公开。在执行中,可以参照上述指导意见的具体规定,对本法未列明的事项,群众要求公开的,都应当公开。

村务公开的重点是财务公开。村民委员会要健全财务公开制度,按照《村集体经济组织财务公开暂行规定》《村集体经济组织会计制度》以及国家有关文件规定,进行村级财务公开,主要公开的内容包括:财务计划及其执行情况、各项收入和支出、各项财产、债权债务、收益分配、代收代交费用、水电费、以资代劳情况以及群众要求公开的其他财务事项。财务公开的内容要细化,所有收支必须逐项逐笔公布明细账目,让广大农户认得准、看得懂、算得清,积极发挥群众监督和舆论监督的作用。

## 三、村务公开的要求

### （一）公开的形式

村务公开的形式要便捷，以利于群众方便、快捷地了解村务公开的内容。公开的方式可以根据本地实际情况确定，如采取村务公开栏、发放“明白纸（卡）”的形式，还可以实行村民点题公开（民主听证会）、建立信息公开平台（广播、电视、网络）等形式。

### （二）公开的时间

村务公开要及时。通常情况下，需要公开的事项要尽早向村民公开，也可以定期公开。属于本条第二款规定的事项中，一般事项至少每季度公布一次；集体财务往来较多的，财务收支情况应当每月公布一次；涉及村民利益的重大事项应当随时公布。有些办理时限较长的事项，可以每完成一个阶段，即公布一次进展情况。每一件较大事项完成之后，要及时向村民公布办理结果。

### （三）公开的程序

村民委员会应当根据本村的实际情况，依照法规和政策的有关要求提出村务公开的具体方案；村务监督机构对方案进行审查、补充、完善后，提交村党组织和村民委员会联席会议讨论确定；村民委员会通过村务公开栏等形式及时公布。每次公开后，村民委员会要及时召开村民会议或村民代表会议，认真听取村民的意见，答复、解决村民提出的问题。

## 四、对村务公开答疑纠错

为增强村务公开的实效性，村务公开要接受村民的监督。为防范假公开，中共中央、国务院《关于切实加强农业基础建设进一步促进农业发展农民增收的若干意见》（2007 年 12 月 31 日），中共中央纪委、监察部关于印发《关于深入学习贯彻党的十七届三中全会精神进一步加强农村党风廉政建设若干问题的意见》的通知（2008 年 11 月 3 日）和《关于开展村务公开和民主管理“难点村”治理工作的若干意见》(民发〔2009〕20号)都要求,实行村务公开答疑纠错的监督制度,保证村务公开及时便捷、全面真实。

实行村务公开答疑纠错的监督制度要求:一是村民委员会要本着对村民负责的态度,保证村务公开事项的真实性。要将村务公开的事项作为村务档案妥善保管,村务档案应当真实、准确、完整、规范。二是村民有权查询村务公开的内容,并可提出意见、建议。三是村民委员会有义务接受村民查询。对村民提出的疑问,要及时作出解释;对村民提出的要求,要及时予以答复;对大多数村民不赞成的事情,要及时予以纠正,并重新公布。

**第三十一条　村民委员会不及时公布应当公布的事项或者公布的事项不真实的,村民有权向乡、民族乡、镇的人民政府或者县级人民政府及其有关主管部门反映,有关人民政府或者主管部门应当负责调查核实,责令依法公布;经查证确有违法行为的,有关人员应当依法承担责任。**

**【释义】**　本条是关于县、乡(镇)人民政府及县级人民政府有关主管部门查处违反村务公开规定行为的规定。

随着村务公开制度在广大农村的普遍实行,依法公开村务已经成为主流。但是,也应当看到,村民委员会依法应当公布的事项,涉及巨大的经济效益和社会效益,特别是涉及支农惠农政策,社会各界支持新农村建设的项目,新农村建设的各项资金及其使用情况,农村集体资金、资产和资源处置情况,农村征地、环境污染、移民搬迁安置补偿费用的分配与使用情况,以及对村民委员会及其成员的村务监督、民主评议和经济责任审计结果等事项,不仅与村民群众的利益息息相关,而且与村民委员会成员的任职紧密相连。在有的村,有的村民委员会在讨论决定村务事项时不按照民主决策程序办理,村级财务处理不规范、使用不公开,甚至弄虚作假、侵犯村民的经济权利、人身权利、民主权利;有的村民委员会成员还存在利用职务之便侵占集体资产和资金、多吃多占、铺张浪费等行为。为了回避村民的监督，村民委员会就会出现不及时公布应当公布的事项或者公布的事项不真实的情况，甚至在有些地方长期得不到纠正，影响了村民自治权利的行使，影响了党和国家农村政策的贯彻落实，影响了村民委员会协助人民政府开展工作，影响了农村改革、发展和稳定，有必要对县、乡（镇）人民政府及县级人民政府有关主管部门查处违反村务公开规定行为作出规定，以便于进一步明确有关机关和部门的职责。

## 一、违反村务公开规定的主要情形

村民委员会应当及时公布涉及村民利益的有关事项，这是落实村务公开制度的重要内容之一。违反村务公开规定的主要情形有两种：一是公布不及时。凡是未按照法律、村民自治章程和国家有关规定中关于公布事项的时间、次数要求进行公布的，属于村民委员会不及时公布应当公布的事项的情形。二是公布不真实。凡是在公布应当公布的事项中，存在弄虚作假、公布不全面、名实不符、遗漏错误等情况的，属于村民委员会公布应当公布的事项不真实的情形。

## 二、查处违反村务公开规定的主体

乡、民族乡、镇的人民政府和县级人民政府及其有关主管部门，是负责查处村民委员会违反村务公开规定的主体。有关人民政府或者主管部门根据村民的反映，负责调查核实村民委员会不及时或不真实公布应当公布事项的行为，在查证属实的基础上，依法做出处理。

乡、民族乡、镇的人民政府和县级人民政府及其有关部门，根据地方组织法的规定履行职权，不干预依法属于村民自治范围内的事情，但是对村民委员会开展工作负有指导、支持和帮助的职责，对实行村务公开和民主管理制度的情况，负有监督和管理职责。对此，中共中央办公厅、国务院办公厅《关于在农村普遍实行村务公开和民主管理制度的通知》（中办发〔1998〕9号）要求，各级党委和政府要加强领导，采取得力措施，帮助和指导村级组织把村务公开和民主管理有关制度建立健全起来，并经常检查督促各项制度的贯彻落实。村务公开和民主管理工作，由组织、民政部门牵头，纪检监察、人事、农业等有关部门积极配合，各司其职，各负其责，齐抓共管。中共中央办公厅、国务院办公厅在《关于健全和完善村务公开和民主管理制度的意见》（中办发〔2004〕17号）中还提出，县、乡党委和政府要及时受理群众来信、来访和申诉，及时化解社会矛盾，维护农村稳定。

三、对违反村务公开规定的查处

（一）村民委员会的法律责任

村民委员会违反村务公开规定的，要根据乡、民族乡、镇的人民政府和县级人民政府及其有关主管部门责令改正的要求，依法履行职责，公布应当由其公布的事项。

责令依法公布，就是要求村民委员会按照法律、村民自治章程和国家有关规定要求的公布时间和事项，及时、全面、真实地加以公布：一是弄虚作假的，责令公布事实真相；二是公布不全面的，责令将未公布部分加以公布；三是名实不符、遗漏错误的，责令改正、重新公布；四是公布不及时的，责令按照规定的时间公布。

（二）有关人员的法律责任

出现村民委员会不及时公布应当公布的事项或者公布的事项不真实的情况，有的是因村民委员会成员工作不尽职造成的，也有的是因村民委员会成员在村务管理中存在违法行为造成的，要根据不同情况进行处理：一是工作不尽职的，应当对其批评教育，督促改正；可以将其履职情况与民主评议挂钩，连续两次评议不称职的，其职务终止。二是未经村民会议或者村民代表会议讨论决定，擅自以集体名义借贷，变更和处置村集体的土地、企业、设备、设施的，应当由相关责任人承担造成的损失。三是在工作中有截留、挪用、侵占、贪污集体资金、资产、资源，利用职权谋取非法利益以及造成涉及农民负担恶性案件等情况，构成违纪的，给予其党纪政纪处分；构成民事侵权的，依法承担民事责任；构成违法犯罪的，移送司法机关进行处理。

**第三十二条 村应当建立村务监督委员会或者其他形式的村务监督机构，负责村民民主理财，监督村务公开等制度的落实，其成员由村民会议或者村民代表会议在村民中推选产生，其中应有具备财会、管理知识的人员。村民委员会成员及其近亲属不得担任村务监督机构成员。村务监督机构成员向村民会议和村民代表会议负责，可以列席村民委员会会议。**

**【释义】** 本条是关于村务监督机构的规定。

一、村务监督机构的产生

改革开放后，广大农村的村民委员会成员努力工作，带领村民群众发家致富，起到了致富带头人的作用。我国农村经济不断向前发展，农村的集体财产与收入也在不断增多。这说明，村民委员会组织法对村民委员会组织机构、人员配置的规定，是符合当时的国情、村情的。但是，由于监督缺位以及管理不善，一些农村出现了少数村干部以权谋私甚至私分集体财产的现象，引发了农民的强烈不满，影响了农村的稳定和发展。

随着村民委员会组织法贯彻实施的不断深入，村民民主选举、民主决策、民主管理、民主监督的意识不断增强，村务工作的透明度也在逐渐提高，我国许多农村出现了一些新的、以监督村务为主要工作职责的组织。这些组织在有的农村被称为村务监督小组，有的叫做村民理财小组。实践当中,这些村务监督小组或者村民理财小组大都发挥了很好的作用,促进和保障了村民的知情权、参与权、监督权的行使,提高了村民委员会决策的质量和效率,促进了农村和谐社会的建设。

党中央、国务院对建立、健全村务监督制度很重视,也出台了相关的政策文件对农村的村民自治、民主监督与理财工作给予了指导。2004 年,中共中央办公厅、国务院办公厅《关于健全和完善村务公开和民主管理制度的意见》(以下简称"中办国办关于村务公开的意见")中就提出设立村务公开监督小组,加强村民民主理财制度建设。关于设立村务公开监督小组,中办国办关于村务公开的意见提出:"设立村务公开监督小组。村务公开监督小组成员经村民会议或村民代表会议在村民代表中推选产生,负责监督村务公开制度的落实。村干部及其配偶、直系亲属不得担任村务公开监督小组成员。村务公开监督小组及其成员应当热爱集体,公道正派,有一定的议事能力,其中应有具备财会知识的人员。村务公开监督小组要依法履行职责,认真审查村务公开各项内容是否全面、真实,公开时间是否及时,公开形式是否科学,公开程序是否规范,并及时向村民会议或村民代表会议报告监督情况。对不履行职责的成员,村民会议或村民代表会议有权罢免其资格。"关于加强村民民主理财制度建设,中办国办关于村务公开的意见提出:"村民民主理财由村民民主理财小组代表村民进行,民主理财小组成员由村民会议或村民代表会议从村务公开监督小组成员中推选产生。民主理财小组向村民会议或村民代表会议负责并报告工作。民主理财小组负责对本村集体财务活动进行民主监督,参与制定本村集体的财务计划和各项财务管理制度,有权检查、审核财务账目及相关的经济活动事项,有权否决不合理开支。当事人对否决有异议的,可提交村民会议或村民代表会议讨论决定。"这些政策文件都对当时各地兴起的农村民主监督和理财的做法给予了肯定和鼓励,各地也在这些政策文件的指导下,对农村的民主监督与理财工作方面进行了诸多有益的探索和实践,为我国村民委员会组织法的修改完善提供了很好的实践经验。

从上述内容可以看出,新修订的村民委员会组织法对建立村务监督机构予以规定,是对农民、农村的创造性与自主性的尊重与肯定,是在总结我国农村政策和农村具体实践的基础上的进一步的制度完善,村务监督机构的职责也是负责农村的民主理财和村务公开,沿袭了实践当中普遍的做法,有利于将我国近年实践中成功的经验固定下来,从而能够进一步改进农村的治理,推动我国农村的进一步发展。

二、村务监督机构的建立

根据本条规定,村应当建立村务监督委员会或者其他形式的村务监督机构。

对于是否需要在法律中明确规定建立村务监督机构,在全国人大常委会审议过程中存在不同意见。有些常委委员提出,村民委员会设立专门的监督机构是必要的,它可以代替原来的监督小组。有些常委委员、代表、地方提出,强化对村民委员会的监督机制是必要的,但采取何种形式有必要加以研究。理由是:其一,我国各地情况差别大,各地村民委员会的规模、地域面积也很不一样,是否有必要规定在成立村民委员会后,一律选举建立一个监督机构,需进一步研究论证。其二,村民委员会是最基层的自治组织,村民委员会组成人员生活在广大村民之中,村民委员会应该直接对村民、村民会议或村民代表会议负责。再增设一个监督机构,叠床架屋、浪费民力,增加成本。其三,增设这一机构,可能会替代村民、村民会议和村民代表会议的监督。因此,需要研究的是如何切实保障村民群众行使现有的监督权,而不是增加机构,增加群众负担。

立法机关经研究后,认为在农村基层设立村务监督机构是必要的:其一,我国各地农村大多已经建立各种形式的村务监督机构,这些村务监督机构在实践发挥了其监督村务公开、促进农村治理的作用,实践的效果是得到了普遍的认可的;其二,村务监督机构的成员不是专职人员,平时还是在农村的生产一线,只是在需要的时候才监督村务公开制度的落实和负责本村的民主理财,因此,其不会过多地增加农村基层的负担;其三,增设这一机构,有利于产生专门的人员负责监督的工作,但是村民、村民会议和村民代表会议对村务和村民委员会的监督还是不受影响的,特别是对于一些人口较多的村来说,建立村务监督机构,能够更好地开展监督工作。

关于建立村务监督机构的具体表述,国务院提交全国人大常委会审议的议案表述为"村应当建立村务监督机构"。在审议过程中,有的常委委员和地方提出,实践中部分地方已经制定地方性法规,在农村建立了不同形式的村务监督机构:有的称村务监督委员会,有的称村务监督小组、村民理财小组等。为进一步强化村民群众监督,规范村务监督机构的设立,立法机关根据该意见,将"村应当建立村务监督机构"修改为"村应当建立村务监督委员会或者其他形式的村务监督机构"。

实践中,农村在建立村务监督机构时,具体采取什么形式来建立村务监督机构,各地农村可以根据本村的现实需要来选择。对于有些农村,如果已经建有监督小组、理财小组的,并且本村人口不多、村集体财产不多的,可以转化为现在村民委员会组织法所规定的村务监督机构,负责村民民主理财和监督村务公开制度的落实。对于有些农村,如果人口较多、村集体财产比较多、监督事项较多的,可以建立村务监督委员会。

三、村务监督机构的组成

1. 村务监督机构成员由村民会议或者村民代表会议在村民中

推选产生。村民会议、村民代表会议的召开，由村民委员会召集。有十分之一以上的村民或者三分之一以上的村民代表提议，也应当召开村民会议。

2. 村务监督机构中应当有具备财会、管理知识的人员。因村务监督机构需要负责村民民主理财、监督村务公开等职责，因此，村务监督机构的成员需要有人懂得一定的财会、管理知识，在推选村务监督机构的成员时，可以考虑那些具备财会、管理知识的人选。当然，这里所提到的具备财会、管理知识，并不是要求对财会管理有非常深入的研究，而是对此有相对一般人的了解，对此具备一定的专门知识即可。

3. 村民委员会成员及其近亲属不得担任村务监督机构的成员。村务监督机构因为需要监督村务公开，因此，其必然需要对村民委员会的工作进行监督，为防止自己监督自己，村民委员会的成员不得担任村务监督机构的成员。同理，为防止村民委员会的近亲属在村务监督机构任职从而可能会发生角色冲突，影响村务监督机构的正常运行，因此，村民委员会成员的近亲属不得担任村务监督机构的成员。

## 四、村务监督机构的职责

按照本条的规定，村务监督机构负责村民民主理财，监督村务公开制度的落实；村务监督机构的成员向村民会议和村民代表会议负责，可以列席村民委员会会议。

### （一）负责村民民主理财

村务监督机构负责本村的村民民主理财。对于村务监督机构如何进行本村的民主理财，法律没有具体规定。按照中办国办关于村务公开的意见的要求，农村成立村民民主理财小组来进行民主理财，负责对本村集体财务活动进行民主监督，参与制定本村集体的财务计划和各项财务管理制度，有权检查、审核财务账目及相关的经济活动事项，有权否决不合理开支；当事人对否决有异议的，可提交村民会议或村民代表会议讨论决定。在新修订的村民委员会组织法实施过程中，村务监督机构进行本村的村民民主理财时，可以参照上述内容进行民主理财。

（二）监督村务公开制度的落实

村务监督机构需要监督村务公开制度的落实。对于村务监督机构如何监督村务公开，法律没有具体规定，按照中办国办关于村务公开的意见的要求，村务公开监督小组要依法履行职责，认真审查村务公开各项内容是否全面、真实，公开时间是否及时，公开形式是否科学，公开程序是否规范，并及时向村民会议或村民代表会议报告监督情况。在新修订的村民委员会组织法实施过程中，村务监督机构监督本村的村务公开制度落实时，可以参照上述内容进行。

对于村务公开的内容，根据修订后的村民委员会组织法第二十四条和第三十条的规定，包括本村享受误工补贴的人员及补贴标准，从村集体经济所得收益的使用，本村公益事业的兴办和筹资筹劳方案及建设承办方案，土地承包经营方案，村集体经济项目的立项、承包方案，宅基地的使用方案，征地补偿费的使用、分配方案，以借贷、租赁或者其他方式处分村集体财产，国家计划生育政策的落实方案，救灾救助款物和补贴救助的发放情况，设计本村村民利益、村民普遍关系的事项，村民委员会协助人民政府开展工作的情况，村民会议讨论决定的设计村民利益的其他事项等。这些需要村务公开的事项中，一般事项至少每季度公布一次；集体财务往来较多的，财务收支情况应当每月公布一次；涉及村民利益的重大事项应当随时公布。村务监督机构应当监督这些村务公开的事项能够及时、准确、完整地公布。

**第三十三条　村民委员会成员以及由村民或者村集体承担误**

**工补贴的聘用人员，应当接受村民会议或者村民代表会议对其履行职责情况的民主评议。民主评议每年至少进行一次，由村务监督机构主持。**

**村民委员会成员连续两次被评议不称职的，其职务终止。**

**【释义】** 本条是关于村民委员会成员等接受民主评议的规定。

村民委员会成员以及由村民或者村集体承担误工补贴的聘用人员应当接受民主评议，是2010年村民委员会组织法修订新增加的内容，主要从民主评议的对象、主体、内容、法律后果等方面规范了民主评议制度。

### 一、民主评议制度的含义和意义

民主评议制度是村级民主监督制度的重要内容，是村民行使对村民委员会成员以及由村民或者村集体承担误工补贴的聘用人员监督权利的重要方式。为切实加强村民对上述人员的民主监督，村民委员会成员以及由村民或者村集体承担误工补贴的聘用人员的履行职责的情况，都要由村民会议或者村民代表会议进行民主评议或民主测评。民主评议是对村民委员会成员和其他有关人员进行监督的一种有效方式。村民委员会产生后，其履职情况如何，是否履行了当选前的承诺，需要通过一定的形式进行监督测评。由于村民委员会是基层群众自治组织，因此，对村民委员会成员和其他有关人员工作情况是否满意，需要由村民说了算。

在本法修改之前，许多地方已经开始探索民主评议村干部的做法，并取得了许多好的经验。这次村民委员会组织法修改，吸收了各地的有益经验和好的做法，将这一制度用法律的形式固定下来，这对于加强对村民委员会成员和其他有关人员的监督，保障村民切实行使自治权，具有积极的意义。民主评议村干部，有利于增强村干部为村民办实事的责任意识。由于民主评议每年至少进行一次，村干部一年或者半年中工作情况如何，是否为村民办了实事，都将通过民主评议的方式获得测评。如果不解决村民具体困难，不为他们办实事，民主测评将可能被评为不称职。相反，如果村干部真正为村民谋利益，办实事，解决村民的切实困难，在民主测评中将获得好评，这也为今后的连选连任打下了坚实的基础。因此，民主评议对村干部而言，既是鼓舞，更是鞭策。通过民主测评，将进一步激发村干部为村民服务意识，督促村干部解放思想，拓宽思路，立足本村实际，积极为群众生产生活提供实实在在的服务。同时，通过民主评议，也有利于村干部改进工作方法和领导水平。通过民主评议，村民代表对村干部工作中存在的优点进行肯定，对工作中存在的不足提出批评，有利于督促村干部加强政策法律学习，改进工作方式，做到既能有效开展工作，又能够为村民所信服。

二、民主评议的对象

民主评议的对象是村民委员会成员以及由村民或者村集体承担误工补贴的聘用人员。根据本法第六条的规定，村民委员会由主任、副主任和委员共三至七人组成，因此，村民委员会主任、副主任和委员都是民主评议的对象。同时，由村民或者村集体承担误工补贴的聘用人员，如村集体经济组织班子成员、村民小组长、计生专干等，也都是民主评议的对象。之所以将这些人员作为民主评议的对象，是因为村民委员会成员等是接受村民群众委托，管理本村公共事务和公益事业的人员，他们从村民委员会或者村集体获得相应的补贴，有义务认真履行职责，切实为村民群众谋利。对这些人员进行民主评议，有利于他们更好地履行职责，保障村民自治工作的开展。

三、民主评议的主体

村民会议或者村民代表会议，是对村民委员会成员以及由村民或者村集体承担误工补贴的聘用人员履行职责情况进行民主评议的主体。村民会议由本村十八周岁以上的村民组成。人数较多或者居住分散的村，可以设立村民代表会议，讨论决定村民会议授权的事项。村民代表会议由村民委员会成员和村民代表组成，村民代表由村民按每五户至十五户推选一人，或者由各村民小组推选若干人。村民代表会议可以根据村民会议的授权，评议村民委员会成员和其他相关人员的工作。

四、民主评议的内容

民主评议的内容是村民委员会成员等履行职责的情况，具体可以包括政治素质和思想作风、工作能力和业务水平、工作作风和廉洁自律情况；年度工作责任目标完成情况，乡镇党委、政府年初下达的工作任务完成情况，按照职责分工所负责的专项工作完成情况，村民会议和村民代表会议议定事项的办理情况，等等。

五、民主评议的方式和程序

本法对民主评议的方式未作明确规定，从各地的情况来看，实践中有的地方采取由村民委员会成员作述职报告，村民或村民代表对村民委员会成员在德、能、勤、绩、廉等方面的表现进行民主评议，评议结果张贴公布，让村民全面了解现任村民委员会成员的情况。还有的地方统一印制民主评议表，按优秀、称职、基本称职和不称职四个档次划分，明确各个档次的标准，村民委员会成员等在民主评议大会上述职后，由参评人员讨论，填写测评票，测评结果经汇总后向全体村民公示。

民主评议每年至少进行一次，由村务监督机构主持。具体每年进行一次还是两次甚至更多次，由各地根据实际情况决定。本法第三十二条规定，村应当建立村务监督委员会或者其他形式的村务监督机构，其成员由村民会议或者村民代表会议在村民中推选产生。

六、民主评议的法律后果

根据本条第二款的规定,村民委员会成员连续两次被评议不称职的,其职务终止。这样规定,是为了进一步畅通民主评议不称职的村民委员会成员的退出机制。村民委员会成员连续两次被评议不称职,说明该成员确实不能胜任岗位职责的要求,这种情况下就不需要再走辞职和罢免程序,而直接终止其成员职务。这样做的目的,既可以避免村民委员会成员应当辞职而拒不辞职的情况发生,也可以避免罢免难且浪费时间、人力、物力情况的发生。

本条未对由村民或者村集体承担误工补贴的聘用人员连续两次被评议不称职的如何处理作出规定,根据本条的立法精神,也应当按照村民委员会成员被评议不称职的处理办法,终止其职务,不再聘用。

**第三十四条　村民委员会和村务监督机构应当建立村务档案。村务档案包括:选举文件和选票,会议记录,土地发包方案和承包合同,经济合同,集体财务账目,集体资产登记文件,公益设施基本资料,基本建设资料,宅基地使用方案,征地补偿费使用及分配方案等。村务档案应当真实、准确、完整、规范。**

**【释义】**　本条是关于村民委员会和村务监督机构建立村务档案的规定。

一、建立村务档案的必要性

修改前的村民委员会组织法对村务档案的建立和保管没有作出规定,在实践中出现了一些问题:有的地方对村集体经济的往来财务的细账没有梳理归档,致使一些群众对村里有关问题的反映无处查询,造成群众对村干部不满,甚至上访等情况发生;有的地方农村土地承包档案管理工作还存在证、表、合同等数字不相符，归档资料不够齐全，整理不太规范，保管比较分散，管理责任落实不够等问题；还有的地方由于受村级干部更迭频繁等因素影响，村务档案管理混乱、残缺不全。由于村务档案建立和管理的不规范，引发了一系列问题，既不利于维护村民群众的合法利益，也对农村社会稳定带来了不利影响。正是由于上述原因，这次村民委员会组织法修订，专条规定了村民委员会和村务监督机构建立村务档案的义务和具体要求。

二、建立村务档案的责任主体

村民委员会和村务监督机构是建立村务档案的责任主体。村民委员会负责管理本村属于村农民集体所有的土地和其他财产，具体办理土地发包、宅基地分配、征地补偿费使用及分配等事项。因此，本法将村民委员会作为建立村务档案的主体之一，村民委员会应当在日常工作中注意有关档案的收集和保存。村务监督机构负责村民民主理财，监督村务公开等制度的落实，在工作过程中也应注意收集整理相关档案资料，妥为保存。

三、村务档案的范围

根据本条的规定，村务档案包括：

（1）选举文件和选票。选举文件是指在村民委员会选举过程中产生的各种文件，主要包括选举工作方案、选举会议程序、选民登记表、选民名单、正式选举的选票票样及选举结果的统计票、换届选举的公示、公告、正式候选人名单、候选人演讲稿、选举大会监票、计票、唱票人名单、选举报告单、选举工作总结、村民委员会成员职责分工等。

（2）会议记录。在会议过程中，由记录人员把会议的组织情况和具体内容记录下来，就形成了会议记录。会议记录有笔录、音录和影像录几种，对会议记录而言，音录、影像录通常只是手段，最终还要将录下的内容还原成文字。村民委员会、村民会议、村民代表会议以及村务监督机构等召开的会议都应当形成会议记录，以备存档和将来查阅。会议记录应当准确写明会议名称，开会时间、地点，会议主持人、出席会议应到和实到人数，缺席、迟到或早退人数及其姓名、职务，记录者姓名，会议发言和有关动态，会议的决定、决议或表决等情况。

（3）土地发包方案和承包合同。土地发包方案应包括：发包土地名称、坐落、面积（四至及平面图）、质量等级、用途、期限；根据土地质量等级采取的合理的发包措施；发包土地的顺序、方式等。土地承包合同是指村民委员会或者农村集体经济组织将农村集体所有的土地，发包给其本集体经济组织成员或本集体经济组织以外单位或个人从事生产经营，以承包的方式明确双方权利义务关系而订立的协议。土地承包合同应当写明土地的面积、位置，土地用途及承包形式，承包经营期限，承包金及支付方式，合同双方的权利义务以及违约责任等内容。

（4）经济合同。本条所称经济合同，主要是指农村集体经济组织与其内部成员或者与本集体经济组织以外的自然人、法人或其他组织订立的经济合同。经济合同是明确双方当事人权利义务的重要凭证，也是处理经济纠纷的重要依据，因此，应当建立健全各类经济合同档案，防止档案遗失和毁损。经济合同档案的范围不仅应当包括村级各类合同书，还应当包括调整变更合同协议书、纠纷调解书、仲裁书、年度合同兑现资料以及涉及合同管理的有关资料。

（5）集体财务账目。农村集体财务账目主要包括财务计划；各项收入，如发包及上交收入、集体统一经营收入、集资款、土地补偿费、救济扶贫款、上级部门拨款等，各项支出，如生产性建设支出、公益福利事业支出、村组干部工资及奖金、招待费支出、集体统一经营支出、救济扶贫专项支出等；各项财产；债权债务；收益分配；农户承担的集资款、水费、电费、劳动积累工、义务工及以资代劳等。

（6）集体资产登记文件。村集体资产主要包括：法律规定属于村集体所有的土地、森林、山岭、草原、水面和滩涂等自然资源；村集体经济组织所有的建筑物、道路、农业机械、机电设备、交通工具、通讯工具、牲畜、林木、农田水利设施和教育、科技、文化、卫生、体育设施等；村集体经济组织投资的企业中，按照投资份额拥有的资产股权和增值的资产权益；政府对村集体经济组织的无偿拨款、补贴、减免税款以及国家机关、社会团体、企事业单位、其他组织和个人对村集体经济组织资助、捐赠的财物等；村集体经济组织所有的现金、存款、有价证券；村集体经济组织所有的商标权、专利权、著作权等无形资产；法律、法规规定属于村集体经济组织所有的其他资产，等等。对于这些集体资产的登记文件，要作为村务档案保存。

（7）公益设施基本资料。公益设施基本资料包括农村公路设施基本资料、水利设施基本资料、卫生设施基本资料、文化设施基本资料、办公设施基本资料等。这些资料对于了解和掌握农村公益设施的建设和变更情况非常重要，因此，应当作为村务档案妥善保存。

（8）基本建设资料。基本建设资料包括新建、扩建和改建的各项农业工程资料，可以分为生产性建设资料，如改良土壤、兴修水利、购置农机具等的资料；非生产性建设资料，如住宅、文教、卫生、公用事业建设资料。除以上与农业生产直接有关的建设资料以外，也包括智力投资、开展科技活动等方面的建设资料。农业基本建设对我国农业生产力配置、农业物质技术基础的改进、农业劳动生产率的提高都具有重要作用，因此，这方面的资料应当作为村务资料进行保存。

(9)宅基地使用方案。宅基地使用方案是指经村民会议讨论决定的村民兴建住宅,怎么建,谁先建,谁后建,如何保护有限的土地资源等的方案。这一方案是村民宅基地划分情况的基本依据,需要作为村务档案妥善保存。

(10)征地补偿费使用及分配方案。征地补偿费,是指农村集体经济组织所有土地被依法征收所获得的经济补偿,包括土地补偿费、安置补助费、青苗补偿费和地上附着物补偿费。随着工业化、城市化进程的不断推进和新农村建设步伐的加快,农村集体经济组织所有土地被征用、占用的数量增加,对征地补偿费的使用和分配方案,需要经过村民会议的讨论决定。对于该分配方案,应作为村务档案长期保存。

## 四、建立村务档案的要求

村务档案应当真实、准确、完整、规范。所谓真实,就是要求档案所记载的内容应当与客观事实相符合,不能弄虚作假。所谓准确,就是档案所记载的内容应当符合标准和要求,杜绝错误的出现。所谓完整,就是要求村务活动中形成的各种档案都要归档,做到齐全完整完善。已经丢失或损毁的要采取一切有效措施补充完整。手续不全、不规范的,要抓紧予以完善。所谓规范,就是要严格按档案管理工作的规范要求,将村务档案分门别类装订成册,登记编号并编制检索目录。

## 五、关于村务档案管理中需要注意的问题

一些常委委员和地方提出,建立村务档案的目的就是加强民主监督,建议规定村民应当有权查阅村务档案。还有的提出,应进一步明确村务档案的保存场所、保管年限,同时对村务档案的移交作出规定。我们研究认为,一方面,档案法等法律已经对档案管理作出了具体规范,村务档案管理可以参照相关法律的规定进行;另

一方面，许多地方通过地方性法规对村务档案的公开、保存、移交等内容作出了具体规定，各地可以通过地方性法规的形式具体落实本法的相关规定。因此，本法仅规定了村务档案保管的原则性内容，对于保管的具体要求未作明确规定。

**第三十五条 村民委员会成员实行任期和离任经济责任审计，审计包括下列事项：**

**（一）本村财务收支情况；**

**（二）本村债权债务情况；**

**（三）政府拨付和接受社会捐赠的资金、物资管理使用情况；**

**（四）本村生产经营和建设项目的发包管理以及公益事业建设项目招标投标情况；**

**（五）本村资金管理使用以及本村集体资产、资源的承包、租赁、担保、出让情况，征地补偿费的使用、分配情况；**

**（六）本村五分之一以上的村民要求审计的其他事项。**

**村民委员会成员的任期和离任经济责任审计，由县级人民政府农业部门、财政部门或者乡、民族乡、镇的人民政府负责组织，审计结果应当公布，其中离任经济责任审计结果应当在下一届村民委员会选举之前公布。**

**【释义】** 本条是关于村民委员会成员实行任期和离任经济责任审计的规定。

一、经济责任的含义

经济责任，是指因担任特定职务管理运用财政资金、国有资源和国有资本、其他有关基金和资金，以及从事其他有关经济活动应当履行的职责、义务。经济责任审计，是指对担任特定职务的管理人员在任期内应负的经济责任的履行情况所进行的审计。审计产生的客观条件之一就是财产所有权与经营管理权的分离，其主要目的就是保护财产的安全和完整，保证会计资料的真实和可靠，明确财产经营管理者的经营管理责任。

二、对村民委员会成员进行任期和离任经济责任审计的意义

对村民委员会成员实行任期和离任经济责任审计，具有重要的意义。一是通过经济责任审计，既可以较全面地了解村民委员会成员在任职期间所负责的工作成果，为评价村民委员会成员的工作情况，确定对其的补贴奖励等提供可靠的依据；同时，通过审计，也可以掌握村集体的财产状况和债权、债务增减变化情况，从而弄清任期目标是否科学、合理和完整，为正确确定下一届任期目标和进一步完善村民委员会成员任期经济责任制提供依据。二是通过经济责任审计，有利于保护村集体经济不受侵犯。村民委员会成员在任期间，有支配和使用村集体财产的权利，同时也应相应地负起管理、保护集体资金，确保集体财产不受侵犯和不断增值的责任。经济责任审计的一个重要作用，就是对村民委员会成员任期内集体资产的完整性、经营盈亏的真实性和收益分配的合理性进行审计，从而发现、制止各种违法、违章、违纪行为，保护村集体经济利益不受损害。三是通过经济责任审计，能够为村民在换届选举时提供选择依据。村民委员会成员任期经济指标的完成情况，不仅取决于村民委员会成员的主观努力，而且要受各种客观因素的影响，如任期前的各种遗留问题、各种不可抗逆的自然灾害、任期目标本身是否合理以及来自政策调整等因素。通过任期经济责任审计，对村民委员会成员应承担的经济责任进行鉴定，并对他们任期内的履职情况进行客观、全面、公正的评价，让村民群众了解村民委员会成员是否适合继续担任该职务，从而为换届选举提供选择的依据。四是通过经济责任审计，也能够摸清家底，有利于继任者了解村集体资产的真实情况，明确工作思路，尽快进入角色；同时也明确了上一任村民委员会成员的经济责任，划清了前后

任的责任，有利于工作的交接，保持工作的连续性。

## 三、任期和离任经济责任审计的对象

村干部任期和离任经济责任审计的主要对象是村民委员会成员。村民委员会成员根据本法和其他相关规定，行使村集体及村民委员会财务审批权和参与村级经济活动的决策，对村集体资产负有保值增值的义务。因此，对即将进行村民委员会换届的村的村民委员会成员要进行离任审计，对已完成换届选举的村的村民委员会成员要开展任期经济责任审计，以督促村民委员会成员认真履行职责，维护村集体资产不受侵犯。

## 四、任期和离任经济责任审计的内容

根据本法的规定，村民委员会成员任期和离任经济责任审计包括下列事项：

（1）本村财务收支情况。收入主要应当审计本村经营性收入情况、发包及上交收入情况、投资收益情况以及其他收入情况。支出主要应当审计本村经营性支出、管理费用支出、农业基础设施建设支出、福利性支出以及其他支出情况。

（2）本村债权债务情况。主要应当审计本村债权债务总体数额，债权债务产生、变更情况，债权清收、债务偿还情况等，重点应当对村里举债是否经村民代表大会讨论，按规定的审批程序办理，是否存在以兴办公益事业为由擅自高息借款，是否擅自为企业贷款提供担保、抵押，有无借债进行达标升级活动等情况进行审计。

（3）政府拨付和接受社会捐赠的资金、物资管理使用情况。由于自然原因和某些人为因素，我国每年都会发生一些突发事件，给人民群众生命财产造成损失。在发生这些突发事件时，政府往往通过拨付相应的资金、物资进行救助，社会各方面也会积极捐款捐物帮助灾民。对于这些资金、物资的管理和使用，关系到人民群众生活和社会的稳定，必须按照规定的范围、对象和标准及时发放，并加强管理和审计。应当审计专项资金的安排、拨付、管理和使用情况以及捐赠款物的接受、分配、拨付、管理和使用情况，重点审计是否存在挤占挪用和损失浪费救灾资金、捐赠款物问题，是否存在救灾资金及捐赠款物拨付不及时问题，是否存在救灾资金、捐赠款物违规使用、分配不合理问题，是否存在捐赠物资管理不善的问题等。对于政府拨付的用于发展生产的补贴补助资金也要进行使用和管理的审计。

(4)本村生产经营和建设项目的发包管理以及公益事业建设项目招投标情况。主要应当审计本村生产经营和建设项目的发包是否采取招标、拍卖、租赁、参股和公开协商等方式，是否签订规范的承包合同；村级公益事业建设项目是否公开招标，有无“人情”承包和“以权”承包等情形。

(5)本村资金管理使用以及本村集体资产、资源的承包、租赁、担保、出让情况，征地补偿费的使用、分配情况。对于本村资金管理使用，应当重点审计各项收入是否及时、足额入账，有无侵占、挪用、私分集体资金和私设“账外账”或“小金库”等问题；有无滥用职权侵占、挪用、平调集体资产和长期占用集体资金的问题。对于本村集体资产、资源的承包、租赁、担保、出让情况，应当重点审计对于集体资产、资源的承包等是否符合法律、法规和政策的规定，是否损害村民群众和村集体的利益，是否有正式合同文本，是否有越权发包等情形。对征地补偿费的使用、分配情况进行审计，对于保障村民的知情权、监督权具有积极作用。征地补偿费包括土地补偿费、安置补助费以及地上附着物和青苗的补偿费，是对被征地农民和农村集体经济组织失地的补偿。征地补偿费要按照公正合理的原则进行分配。农村集体土地被征收后，在农村集体经济组织内部调整承包地的，土地补偿费和安置补助费在该农村集体经济组织范围内统一分配。有关部门应当对农村集体经济组织征地补偿费的拨付、管理和使用情况进行专项审计。

（6）本村五分之一以上的村民要求审计的其他事项。对于其他涉及村民切实利益的事项，经本村五分之一以上的村民要求，也应对该事项进行审计。

## 五、任期和离任经济责任审计的主体

对于审计的主体，由于村民委员会组织法在修改前未作规定，各地做法和规定不尽一致。如有的地方规定，由村务监督小组和民主理财小组进行离任审计。有的地方规定，由村民会议进行任期经济责任审计。中共中央办公厅、国务院办公厅《关于健全和完善村务公开和民主管理制度的意见》（中办发〔2004〕17号）中提出，县、乡两级农村集体资产和财务管理指导部门，要切实组织好对农村集体财务的审计监督工作。根据中央有关文件的精神，结合各地的实际做法，本法对村民委员会成员审计主体作了明确规定。根据本条的规定，村民委员会成员的任期和离任经济责任审计，由县级人民政府农业部门、财政部门或者乡、民族乡、镇的人民政府负责组织。

## 六、审计结果的公布

公布审计结果，是为了让村民群众了解村民委员会成员的经济责任，便于监督和在换届选举中选择是否继续投票选举该村民委员会成员。根据本条的规定，审计结果应当公布，其中离任经济责任审计结果应当在下一届村民委员会选举之前公布。这是因为上一届村民委员会的成员，往往许多人都会继续参加下一届村民委员会的选举，将审计结果在选举之前公布，能够使村民了解上一届村民委员会成员是否廉洁自律，是否正确行使权力，从而在投票选举时，作出正确的选择。实践中，有的地方提出，村民委员会主要负责人任期经济责任审计结果公布后村民有争议，是否要推迟换届选举？由于选举必须在规定的时间内完成，选举日不能随意变更，因此，选民如果对审计结果有争议，应及时召开村民会议或村民代表会议进行表决。如果表决结果需要复审的，可交由上一级有关部门进行复审，亦可以委托中介机构进行复审，及时解决争议，确保换届选举如期进行。

七、审计结果的处理

本法对审计结果的处理未作明确规定。根据中央有关文件的规定，在审计中查出侵占集体资产和资金、多吃多占、铺张浪费的，要责令其如数退赔；涉及国家工作人员及村干部违法违纪的，需要给予党纪政纪处分的，移交纪检监察机关处理；构成犯罪的，移交司法机关依法追究当事人的法律责任。

**第三十六条　村民委员会或者村民委员会成员作出的决定侵害村民合法权益的，受侵害的村民可以申请人民法院予以撤销，责任人依法承担法律责任。**

**村民委员会不依照法律、法规的规定履行法定义务的，由乡、民族乡、镇的人民政府责令改正。**

**乡、民族乡、镇的人民政府干预依法属于村民自治范围事项的，由上一级人民政府责令改正。**

**【释义】**　本条是关于村民合法权益受侵害的司法和行政救济措施的规定。

一、规定村民自治权的司法和行政救济措施的意义

村民委员会组织法实施以来，全国的农村基层民主政治建设不断推进，村民自治的各项活动都纳入了法制轨道，各地的村民委员会积极履行职责，依法充分保障了村民各个方面的权益。乡一级政府指导、支持和帮助村民委员会工作，依法保证了村民自治权

益的落实，维护了属于村民自治范围的事项依法开展，防止了行政权对村民自治的违法干预。但是，随着农村经济社会的发展，基层民主政治的不断深化，新农村建设的蓬勃展开，在村民自治实行中出现了一些新的问题。突出的表现有三个方面：一是，村民委员会或者村民委员会成员不按民主程序办事，村民的意愿得不到充分表达，致使村民委员会作出的决定侵害了村民的权益；有的利用宗族、家族势力，假借少数服从多数的名义作出决定，以合法的形式掩盖侵害村民合法权益的非法行为；特别是有的村民委员会成员在涉及村集体财务、资产、资源管理，土地承包方案、筹资酬劳方案的确定，以及征地补偿费、救灾救助和补贴补助发放等方面，还存在违反法律、法规和国家有关规定侵占、挪用、私分等行为。二是，有的村民委员会不依照法律、法规的规定履行法定义务，致使党和国家的各项支农惠农政策、应当协助人民政府开展的各项工作以及村民自治事务难以落实，影响了社会主义新农村建设。还有个别的民主管理和村务公开“难点村”，把“村民自治”等同于“村民委员会自治”“村官自治”，对乡镇人民政府的指导、支持和帮助拒之门外，将应当协助人民政府开展的工作置之不理，村民委员会“过度自治化”倾向十分严重。三是，有的乡镇人民政府的干部观念陈旧，在工作中仍把村民委员会当作自己直接的下属行政组织，对村民委员会的人事权以及属于村民自治范围内的生产、经营等村务活动直接发号施令，在一定程度上影响了村民自治组织作用的发挥，造成了一些村出现了“附属行政化”的倾向。

发展社会主义民主政治是中国共产党始终不渝的奋斗目标。党的十七届三中全会提出，到 2020 年实现我国“农村基层组织建设进一步加强，村民自治制度更加完善，农民民主权利得到切实保障”的农村改革发展目标。为了实现这一目标，切实推进农民基层群众自治制度建设，有必要在法律中明确保障村民自治权利的司法和行政救济措施，以纠正违反村民自治的违法、违规行为，维护村民的合法权益。针对上述问题,2010 年修订村民委员会组织法,增加了司法和行政救济的内容,概括为三个方面的规定:一是针对村民委员会或者其成员作出决定侵害村民合法权益的问题,增加法院审判救济的规定,以保护农村集体所有制内的集体成员的权益;二是针对村民委员会不依法履行法定义务的,增加了乡一级政府责令改正的行政监督救济措施;三是针对乡一级政府干预依法属于村民自治范围事项的,增加了县一级政府对乡一级政府责令改正的行政监督救济措施。

## 二、关于村民自治权的司法救济

本法规定,村民委员会应当保障村民的合法财产权和其他合法权益。但是由于村民委员会或者村民委员会成员违法、违规行为的存在,往往导致其作出的决定侵害村民的合法权益。对这种情形,村民能否向人民法院提起诉讼,本法修改前未予明确,而在有关法律以及最高人民法院的规范性文件中已有相关规定,如物权法第六十三条第二款规定:“集体经济组织、村民委员会或者其负责人作出的决定侵害集体成员合法权益的,受侵害的集体成员可以请求人民法院予以撤销。”本条第一款规定:“村民委员会或者村民委员会成员作出的决定侵害村民合法权益的,受侵害的村民可以申请人民法院予以撤销,责任人依法承担法律责任。”

### (一)受理案件范围

根据物权法、农村土地承包法、土地管理法、妇女权益保障法以及最高人民法院《关于审理涉及农村土地承包纠纷案件适用法律问题的解释》(法释〔2005〕6 号)、最高人民法院印发《关于为推进农村改革发展提供司法保障和法律服务的若干意见》的通知(法发〔2008〕36 号)的规定,村民认为村民委员会或者村民委员会成员作出的决定涉及下列事项,侵害其合法权益的,可以向人民法院提起诉讼:(1)涉及侵害农民对承包土地的各项法定权利的;

(2)涉及侵害农民土地承包经营权流转的;(3)涉及侵害农户宅基地用益物权的;(4)涉及侵害农民征地补偿费用分配权益的;(5)涉及侵害农民种粮补贴权益的;(6)涉及侵害承包经营权继承的;(7)其他因履行职责或因违法、犯罪所作决定侵害村民合法权益的情形。属于下列情形的,人民法院不予受理:(1)集体经济组织成员因未实际取得土地承包经营权提起民事诉讼的;(2)集体经济组织成员就用于分配的土地补偿费数额提起民事诉讼的;(3)因其他法定事由不予受理的。

(二)撤销的约束力

人民法院在审理涉及村民委员会或者村民委员会成员决定的案件中,对不违反法律、行政法规的强制性规定,应当尊重和维护村民委员会或者村民委员会成员决定的效力。村民委员会或者村民委员会成员的决定违反法律、行政法规,侵害村民合法权益的,依法予以撤销。被撤销的决定自始没有法律约束力。决定被撤销后,需要就同一事项重新作出决定的,村民委员会或者村民委员会成员应当依法重新作出决定。

(三)责任人承担的法律责任

人民法院判定撤销决定后,同时判定对责任人的法律责任追究,法律责任包括:一是民事法律责任。村民委员会或者村民委员会成员的决定侵害土地承包经营权及其他财产权利的,责任人应当承担停止侵害、返还原物、恢复原状、排除妨害、消除危险、赔偿损失等民事责任。二是其他法律责任。涉及村民委员会成员违法违纪的,由有关部门给予党纪政纪处分。三是构成犯罪的,由司法机关依法追究刑事责任。

(四)诉讼时效

村民在对村民委员会或者村民委员会成员提起诉讼时,应当注意诉讼的时效期限、时效计算。根据诉讼制度的基本原则,主要包括两个方面的内容:一是村民提起诉讼的时间,本法没有明确限制，除法律另规定外，向法院请求保护的权益的诉讼时效期限为两年；二是诉讼时效从知道或者应当知道权益被侵害时起计算。但是，从权益被侵害之日起超过二十年的，法院不予保护。当有特别情况时，人民法院可以延长诉讼时效期间。

## 三、关于村民自治权的行政监督救济

### （一）乡一级政府依法监督村民委员会履行法定义务

农村基层民主政治建设是乡、民族乡、镇的人民政府重要的职能之一。村民的自治权是由国家以法律的形式授予的，人民政府依法对村民自治进行行政监督也是基层群众自治制度建设的必然要求。

本法规定，村民委员会是基层群众性自治组织，实行民主选举、民主决策、民主管理、民主监督。乡、民族乡、镇的人民政府对村民委员会的行政监督，是在村民委员会职权所不及之处或者不依法履行法律、法规所规定的义务时介入，以最大限度地保持村民自治的独立性。前者如本法第三十五条规定，对村民委员会成员的任期和离任经济责任审计，由县级人民政府农业部门、财政部门或者乡、民族乡、镇的人民政府负责组织。这是直接介入的监督方式。后者则是对村民委员会不履行本法或者其他法律、法规所规定的义务，由乡、民族乡、镇的人民政府责令改正。这是间接介入的监督方式。通过责令村民委员会改正不履行法定义务的行为，使村民委员会应当履行的法定义务得到履行。如本法第三十一条关于责令村民委员会依法公布应当公布的事项的规定；农业法第九十五条关于农村集体经济组织或者村民委员会违反筹资酬劳议事决策程序、超过省级以上人民政府规定的上限控制标准，强迫农民以资代劳的，由乡（镇）人民政府责令改正，并退还违法收取的资金的规定；人口与计划生育法第十二条、第四十条关于村民委员会应当依法做好计划生育工作，对违反规定不履行协助计划生育管理义务的，由有关地方人民政府责令改正的规定。

责令村民委员会改正不履行法定义务的行为，目的是培养村民自治的能力，使村民委员会能够更好地贯彻法律、法规和党和国家的有关方针、政策，更好地督促村民委员会协助乡、民族乡、镇的人民政府开展工作，更好地维护村民的自治权利。

（二）县级人民政府对乡一级政府干预村民自治事务的监督

村民自治组织的自主性与相对独立性是村民自治的基础，能否保持这种独立性是能否有效实现村民自治的首要标准。乡、民族乡、镇政府是我国的基层政权，国家有大量的经济、政治、社会、文化职能是靠乡镇政权实现的，它是村民委员会最直接、最频繁的接触者，它最有可能侵犯村民利益、干涉村务。因此，能否真正实现村民自治，衡量的标准之一是看乡、民族乡、镇政府能否依法行政、能否有效防止对村务自治事务的干预，以保持村民委员会的独立性。为此，本法第五条规定，乡、民族乡、镇的人民政府对村民委员会的工作给予指导、支持和帮助，但是不得干预依法属于村民自治范围内的事项。

乡、民族乡、镇的人民政府不得干预依法属于村民自治范围内的事项，包括村民委员会选举的有关事项；村民会议或者村民代表会议、村集体经济组织的村民（成员）会议或村民（成员）代表会议、村民小组会议依照本法和其他法律规定讨论决定的事项；村民委员会或者村民委员会成员职责范围内的事项；村务监督机构职责范围内的事项等。

除此之外，国务院《关于加强市县政府依法行政的决定》（国发〔2008〕17号）还提出，不得要求群众自治组织承担依法应当由政府及其部门履行的职责。

处理乡、民族乡、镇的人民政府干预依法属于村民自治范围内的事项的机关，是县级人民政府；处理方式是责令乡、民族乡、镇的人民政府予以改正；责令改正的内容包括：一是，责令停止干预。

村民自治事务因干预受到影响的,应当恢复到干预前的状态。二是,乡镇人民政府因干预造成村民自治组织或村民经济损失的,依法承担赔偿责任。三是,对干预依法属于村民自治范围内的事项情节严重的,给予直接负责的主管人员和其他直接责任人员行政处分。

# 第六章　附　　则

**第三十七条　人民政府对村民委员会协助政府开展工作应当提供必要的条件；人民政府有关部门委托村民委员会开展工作需要经费的，由委托部门承担。**

**村民委员会办理本村公益事业所需的经费，由村民会议通过筹资筹劳解决；经费确有困难的，由地方人民政府给予适当支持。**

**【释义】**　本条是关于村民委员会协助政府开展工作及办理本村公益事业所需经费来源的规定。

本条是关于村民委员会经费问题的规定。任何组织的运转都需要一定的人员、场地、工作条件等，因此，都会产生一定的经济支出，没有经济支持，任何组织都难以持续性地开展工作。村民委员会是村民自我管理、自我教育、自我服务的基层群众性自治组织。村民委员会在办理本村的公共事务、公益事业以及协助政府开展工作的过程中，如调解民间纠纷、协助维护社会治安、维护公共卫生等，也都会有一定的经费支出，但村民委员会本身并不具有经济来源，因此，村民委员会活动的经费需要通过政府支持或者村民会议通过筹资筹劳加以解决。

一、村民委员会办理人民政府相关工作的经费

村民委员会是村民自我管理、自我服务的群众性自治组织，处理的应该是本村的自治事务，但是随着我国经济社会的不断发展，各级政府对农村的发展、对于农民的生活以及农业在国民经济中的主体性地位都越来越重视，投入也越来越大，因此，很多相关的事务与工作就需要落实到每一个村、每一个农户。由于我国国土面积广阔，人口众多，各级政府在开展相关工作时不得不借助于各

村现有的组织力量与资源,将国家的扶持政策与惠农措施以较低的成本与较快的速度贯彻落实下去。

对于村民委员会办理人民政府相关工作,按照法律的规定,主要有两种情况:

(一)村民委员会协助人民政府开展工作

人民政府对村民委员会协助其开展工作的,应当提供必要的条件。人民政府在工作中,有一些事务需要在农村开展,有一些事务可能本身就是针对“三农”问题而进行的,因此,作为基层组织的村民委员会,其熟悉本村的情况,协助人民政府开展工作,能够使得人民政府更快更好地完成工作任务。人民政府在工作过程中,当然应当提供必要的条件。

这里的“必要的条件”,是指协助人民政府工作所必需的、与村民委员会所开展的协助工作相当的条件。提供条件的主体是人民政府,因为村民委员会是协助作为一个整体的某一级政府来开展工作的,因此,提供条件的主体也应当是某一级人民政府。

(二)村民委员会受人民政府有关部门委托开展工作

人民政府有关部门委托村民委员会开展工作需要经费的,由委托部门承担。这里有几个问题:第一,人民政府有关部门本身具有委托事项的职责。即人民政府有关部门能够委托村民委员会开展工作,那么人民政府有关部门自身具有该项职责,否则将无法委托给他人。第二,该项职责属于可以委托的职责,如果该项工作属于必须由该人民政府有关部门自己履行的职责,则不能委托给村民委员会。第三,正因为该项工作本应该属于该人民政府有关部门的职责,因此,当该部门将其委托给村民委员会行使的时候,其应该承担村民委员会完成该工作任务所需要的经费。第四,村民委员会开展该项工作所需要的经费,应以能够完成该项受委托的工作所需要的经费为准。

## 二、村民委员会办理本村公益事业的经费

村民委员会办理本村的公益事业，比如，为本村修桥修路等，因此，这些公益事业受益的主要还是本村的村民，因此，可以由村民会议通过筹资筹劳的方式来加以解决。筹资筹劳是指筹集资金或者劳动力，简单来说，就是在本村修桥修路等类似的公益事业中，可以有钱的出钱，有力的出力，本村的村民都会从中受益。当然，随着我国社会经济的发展，我国各级政府的财政能力也大大增强，对于农村的公益事业，政府可以给予支持和帮助，这也是我国走向城乡均衡发展的必然要求。

**第三十八条　驻在农村的机关、团体、部队、国有及国有控股企业、事业单位及其人员不参加村民委员会组织，但应当通过多种形式参与农村社区建设，并遵守有关村规民约。**

**村民委员会、村民会议或者村民代表会议讨论决定与前款规定的单位有关的事项，应当与其协商。**

**【释义】**　本条是关于驻在农村的有关单位与驻地的村民委员会、村民会议或者村民代表会议处理相互关系的规定。

我国农村地区地域广阔，很多机关、团体、部队、国有及国有控股企业、事业单位及其人员都会短期或者长期都驻在农村，在驻在农村的过程中，必然会与所在地的农村的村民、村民委员会组织、村民会议或村民代表会议等发生各种各样的联系，因此，法律有必要对二者之间如何处理彼此关系，互相之间应当负有何种的责任与义务进行规范。

## 一、驻在农村的有关单位及人员对驻在地的农村应负有的责任

驻在农村的机关、团体、部队、国有及国有控股企业、事业单位及其人员，对驻地所在的农村必然会产生各种各样的影响，因此，其对驻地所在的农村应当负有一定的责任，应当在处理相互关系

时，遵守一定的规则。

（一）不参加村民委员会组织

之所以驻在农村的机关、团体、部队、国有及国有控股企业、事业单位及其人员不参加村民委员会组织，主要原因是：这些单位及其人员，在其居住区，一般都设立了家属委员会或居民委员会，管理自己的事务，在基层社会生活中，他们已经拥有了自治组织；并且，这些人员虽然住在农村，但他们在经济、文化、生活方式等方面，与村民有许多不同之处，不宜合为一体，同村民一起自治。

（二）通过各种形式参与农村社区建设

驻在农村的机关、团体、部队、国有及国有控股企业、事业单位及其人员，因其驻在农村，占用农村的土地，并且有很多有可能会与驻在地的农村发生联系，因此，这些驻在农村的有关单位可通过各种形式参与农村社区的建设，积极配合和协助农村社区的发展，为实现城乡一体化做出自己的贡献。这里的“各种形式”，可以是捐助资金与设备，提供人力支持，提供农村社区发展所需的信息，提供国家相关的政策的咨询等，各有关单位可以根据自己的情况与特长，自己选择适当的方式来参与。

（三）遵守有关的村规民约

村规民约是一个村的村民根据宪法、法律、法规以及国家政策的规定，就设计本村村民利益的一些重大问题共同制定的自我约束、自我管理、自我监督的行为规范。村民民约的制定和执行，是村民委员会建设社会主义物质文明和精神文明的重要保证。全体村民都必须共同遵守。驻在农村的机关、团体、部队、国有及国有控股企业、事业单位及其人员也应当遵守有关的村规民约。这是因为作为驻在本村的有关单位及其人员，其活动与行为在实践中会影响到村民的利益，其应当尊重当地农村的习惯与共识，尊重当地的文化风俗、生活方式，否则就可能损害村民的利益，影响村民正常的生产、生活。这里所提出的“有关村规民约”，是指这些单位可能会在相互交往中所遇到与其有关的村规民约，而不是对于与驻在该村的单位与人员无关的村规民约。

二、本村对驻在本村的有关单位负有的责任

村民委员会、村民会议或者村民代表会议讨论决定与前款规定的单位有关的事项，应当与其协商。村民委员会、村民会议或者村民代表会议在讨论决定一些工作与事项时，有些可能会涉及驻在农村的机关、团体、部队、国有及国有控股企业、事业单位及其人员，如农村修路可能会经过这些单位的附近，就有可能对某些单位的出行带来影响，因此，本村就应当就此事项与有关的单位进行协商，这样，双方就能相互理解与配合，也就能减少一些不必要的矛盾。

**第三十九条　地方各级人民代表大会和县级以上地方各级人民代表大会常务委员会在本行政区域内保证本法的实施，保障村民依法行使自治权利。**

**【释义】** 本条是关于地方人大及其常委会监督本法实施的规定。

宪法和地方组织法规定，地方各级人民代表大会和县级以上地方各级人大常委会在本行政区内保证宪法、法律、行政法规和上级人大及其常委会的决议的遵守和执行。县级以上的地方各级人大常委会监督本级人民政府、人民法院和人民检察院的工作。村民委员会组织法作为农村基层群众自治的重要法律，能否得到认真切实的执行，关系到我国农村的长治久安，关系到我国农村的物质文明与精神文明的发展，并对我国农村的村民自治甚至我国的民主政治建设都具有十分重要的意义。因此，根据宪法和地方组织法的规定，本条重申了地方各级权力机关对本法实施的监督职责，突出和强调了地方权力机关在监督村民委员会组织法实施、保障村民自治权利方面的责任。地方各级权力机关，特别是县级的人大常委会和乡镇人大，应切实担负起监督职责。宪法和有关法律对国家权力机关的职权作了规定，归纳起来有立法权、任免权、决定权和监督权四项职权。人大及其常委会的监督是国家权力机关代表人民的根本利益和意志的最具权威性的、最高层次的监督。地方各级人大及其常委会作为各级最高层次的监督机关，其在履行监督职责时，任何其他的单位、组织、个人等都必须予以协助和配合。

地方各级权力机关监督本法的实施，主要是监督政府严格依法办事，一方面，要监督政府特别是县政府负责基层组织建设的民政部门和乡镇政府是否认真履行职责，乡镇政府对村民自治是否依法给予指导、支持和帮助；另一方面，要监督政府特别是乡镇政府是否非法干涉村民自治范围内的事务。同时，也要及时了解村民委员会、村民会议和村民代表会议是否严格遵守和执行村民委员会组织法的有关情况。地方各级权力机关对在本行政区域内出现的违反村民委员会组织法、侵犯村民自治权利、破坏村民自治的行为，应当依照法定程序予以纠正或督促有关部门依法予以纠正。

**第四十条　省、自治区、直辖市的人民代表大会常务委员会根据本法，结合本行政区域的实际情况，制定实施办法。**

**【释义】** 本条是关于授权省级人大常委会制定实施办法的规定。

我国是一个统一的多民族的社会主义国家，幅员辽阔、人口众多，各地的社会、经济、文化发展状况极不平衡。根据这一国情特点，我国实行统一而又分层次的立法体制，即在中央的统一领导下，充分发挥地方的主动性、积极性，维护国家法制的统一。在这种立法体制下，全国人大及其常委会行使国家立法权。省、自治区、直辖市和较大的市的人大及其常委会根据本行政区域的具体情况和实际需要，在不同宪法、法律、行政法规相抵触的前提下，可以制定地方性法规。

村民委员会组织法自 1998 年施行以来，各省、自治区、直辖市人大常委会都制定了实施办法，对于保障本法的顺利实施发挥了重要作用。近十几年来，为推进农村基层民主政治制度建设，建立健全民主选举、民主决策、民主管理、民主监督制度，党中央和国务院多次出台政策文件，指导村民自治制度建设向纵深方向发展，逐步实现了村民自治制度化、规范化、程序化。此次修改村民委员会组织法，是在总结以往实践经验的基础上，把党和国家关于村民自治的最新精神、成熟做法写入法中。但这部规范全国各地农村村民自治的法律，不可能对所有问题都面面俱到，只能对村民自治普遍适用的基本原则、基本制度、基本方法和基本要求作出规定。为了使村民委员会组织法在实施中能够更好地适应各地的不同情况，各省、自治区、直辖市人大常委会要结合本地的实际情况，根据本法的规定，对此前制定的实施办法中的不适应的内容进行修改，对本法中未作规定或者仅作原则规定的内容，如村民代表联系村民的制度，村民会议、村民代表会议的议事程序，村务公开的具体事项、公开的形式、公开的程序，村民委员会成员的培训，村务监督委员会或者其他形式的监督机构的组成，撤销、变更村民代表会议、村民委员会不适当决定的程序等，作出进一步细化的规定，以保证本法的全面、准确的实施。

村民委员会组织法的实施办法必须是由省级地方权力机关，即省、自治区、直辖市人民代表大会常务委员会制定。实施办法是当地实施村民委员会组织法的具体规范，因此，可以作细化、具体化、操作性的规定，但是，不得与村民委员会组织法确定的基本原则和内容相违背。各省、自治区、直辖市人大常委会制定村民委员会组织法实施办法，要把握好以下几个要求：一是实施办法的内容要以同宪法、村民委员会组织法和其他法律为依据，不得与之相抵触；二是要结合本行政区域的实际情况，从实际出发，制定出合乎本行政区域实际需要，能解决本行政区域村民自治实际问题的实施办法；三是要便利村民行使民主选举、民主决策、民主管理和民主监督的自治权利，对村民委员会组织法未作规定的内容进行补充规定，对原则性较强的内容进行细化规定，但不得限制更不得剥夺或者变相剥夺村民应有的民主权利；四是要便于操作执行，要通过把原则性的法律规定具体化，使程序更加明确、办法更加具体，更有利于各项村民自治工作的开展。

从此前各省、自治区、直辖市人大常委会制定村民委员会组织法实施办法的情况看，主要有两类：一类是制定实施办法，但同时制定单独的村民委员会选举办法；另一类是在实施办法中细化村民委员会选举办法。

根据村民委员会组织法第十五条第五款的规定，村民委员会选举办法由省、自治区、直辖市的人民代表大会常务委员会规定。在实际工作中，各地可以根据需要，结合以往的立法实践作出统筹安排。

**第四十一条　本法自公布之日起施行。**

**【释义】**　本条是关于村民委员会组织法时间效力问题的规定。

任何一部法律都必须明确规定其发生法律效力的具体日期。我国立法法第五十一条规定："法律应当明确规定施行日期。"根据法律的性质和实际需要，我国法律对施行时间的规定有三种方式：

（一）法律条文中明确规定自公布之日起施行

表达方法一般是"本法自公（发）布之日起施行"，即发布后立即施行。一般这种方式主要适用于对法律、法规的修订或者法律、法规较少涉及公民权利义务的情形。

（二）法律公布后先予试行或暂行

表达方法一般是在法律标题上体现，即“中华人民共和国××××法（试行）”，副标题“×年×月×日第×届全国人民代表大会常务委员会第×次会议通过×年×月×日全国人民代表大会常务委员会令第×号公布自×年×月×日起试行”。法律公布后先予试行或暂行，而后由立法部门加以补充完善，再通过为正式法律，但在试行期间，该法律也具有约束力。这一方式主要是在改革开放初期，立法经验较少时为立法机关所采用。

（三）法律公布后并不立即生效施行，经过一定时期后才开始施行

表达方法一般是“本法自×年×月×日起施行”，即公布后，经过一定期限再施行。这种方式主要用于需要为新法的实施作一些具体准备工作的情况，如政府或政府部门需要制定实施具体方案等。法律公布后不立即生效施行，法律中明确规定生效施行的日期的作法，通常在制定新法律时使用这种方式。

本法明确规定，村民委员会组织法自公布之日起施行，是采取的第一种方式。之所以采取自公布之日起施行的方式，主要考虑村民委员会组织法已经实施多年，村民自治的基本制度、基本原则和基本精神已经深入民心，村民自治实践已经打下了良好的法律施行的社会基础。修订后的村民委员会组织法自公布之日起施行，能够使村民自治制度的新规定尽快得到贯彻执行，村民自治的民主权利尽快得到更好的实现、更好的维护、更好的发展。

# 第二部分　附　　录

## 附录一：

# 中华人民共和国村民委员会组织法

（1998年11月4日第九届全国人民代表大会常务委员会第五次会议通过　2010年10月28日第十一届全国人民代表大会常务委员会第十七次会议修订）

目　　录



## 第一章　总　　则

**第一条**　为了保障农村村民实行自治，由村民依法办理自己的事情，发展农村基层民主，维护村民的合法权益，促进社会主义新农村建设，根据宪法，制定本法。

**第二条** 村民委员会是村民自我管理、自我教育、自我服务的基层群众性自治组织，实行民主选举、民主决策、民主管理、民主监督。

村民委员会办理本村的公共事务和公益事业，调解民间纠纷，协助维护社会治安，向人民政府反映村民的意见、要求和提出建议。

村民委员会向村民会议、村民代表会议负责并报告工作。

**第三条** 村民委员会根据村民居住状况、人口多少，按照便于群众自治，有利于经济发展和社会管理的原则设立。

村民委员会的设立、撤销、范围调整，由乡、民族乡、镇的人民政府提出，经村民会议讨论同意，报县级人民政府批准。

村民委员会可以根据村民居住状况、集体土地所有权关系等分设若干村民小组。

**第四条** 中国共产党在农村的基层组织，按照中国共产党章程进行工作，发挥领导核心作用，领导和支持村民委员会行使职权；依照宪法和法律，支持和保障村民开展自治活动、直接行使民主权利。

**第五条** 乡、民族乡、镇的人民政府对村民委员会的工作给予指导、支持和帮助，但是不得干预依法属于村民自治范围内的事项。

村民委员会协助乡、民族乡、镇的人民政府开展工作。

## 第二章 村民委员会的组成和职责

**第六条** 村民委员会由主任、副主任和委员共三至七人组成。

村民委员会成员中，应当有妇女成员，多民族村民居住的村应当有人数较少的民族的成员。

对村民委员会成员，根据工作情况，给予适当补贴。

**第七条** 村民委员会根据需要设人民调解、治安保卫、公共卫生与计划生育等委员会。村民委员会成员可以兼任下属委员会的成员。人口少的村的村民委员会可以不设下属委员会，由村民委员会成员分工负责人民调解、治安保卫、公共卫生与计划生育等工作。

**第八条** 村民委员会应当支持和组织村民依法发展各种形式的合作经济和其他经济,承担本村生产的服务和协调工作,促进农村生产建设和经济发展。

村民委员会依照法律规定,管理本村属于村农民集体所有的土地和其他财产,引导村民合理利用自然资源,保护和改善生态环境。

村民委员会应当尊重并支持集体经济组织依法独立进行经济活动的自主权,维护以家庭承包经营为基础、统分结合的双层经营体制,保障集体经济组织和村民、承包经营户、联户或者合伙的合法财产权和其他合法权益。

**第九条** 村民委员会应当宣传宪法、法律、法规和国家的政策,教育和推动村民履行法律规定的义务、爱护公共财产,维护村民的合法权益,发展文化教育,普及科技知识,促进男女平等,做好计划生育工作,促进村与村之间的团结、互助,开展多种形式的社会主义精神文明建设活动。

村民委员会应当支持服务性、公益性、互助性社会组织依法开展活动,推动农村社区建设。

多民族村民居住的村,村民委员会应当教育和引导各民族村民增进团结、互相尊重、互相帮助。

**第十条** 村民委员会及其成员应当遵守宪法、法律、法规和国家的政策,遵守并组织实施村民自治章程、村规民约,执行村民会议、村民代表会议的决定、决议,办事公道,廉洁奉公,热心为村民服务,接受村民监督。

## 第三章 村民委员会的选举

**第十一条** 村民委员会主任、副主任和委员,由村民直接选举产生。任何组织或者个人不得指定、委派或者撤换村民委员会成员。

村民委员会每届任期三年,届满应当及时举行换届选举。村民委员会成员可以连选连任。

**第十二条** 村民委员会的选举,由村民选举委员会主持。

村民选举委员会由主任和委员组成，由村民会议、村民代表会议或者各村民小组会议推选产生。

村民选举委员会成员被提名为村民委员会成员候选人，应当退出村民选举委员会。

村民选举委员会成员退出村民选举委员会或者因其他原因出缺的，按照原推选结果依次递补，也可以另行推选。

**第十三条** 年满十八周岁的村民，不分民族、种族、性别、职业、家庭出身、宗教信仰、教育程度、财产状况、居住期限，都有选举权和被选举权；但是，依照法律被剥夺政治权利的人除外。

村民委员会选举前，应当对下列人员进行登记，列入参加选举的村民名单：

（一）户籍在本村并且在本村居住的村民；

（二）户籍在本村，不在本村居住，本人表示参加选举的村民；

（三）户籍不在本村，在本村居住一年以上，本人申请参加选举，并且经村民会议或者村民代表会议同意参加选举的公民。

已在户籍所在村或者居住村登记参加选举的村民，不得再参加其他地方村民委员会的选举。

**第十四条** 登记参加选举的村民名单应当在选举日的二十日前由村民选举委员会公布。

对登记参加选举的村民名单有异议的，应当自名单公布之日起五日内向村民选举委员会申诉，村民选举委员会应当自收到申诉之日起三日内作出处理决定，并公布处理结果。

**第十五条** 选举村民委员会，由登记参加选举的村民直接提名候选人。村民提名候选人，应当从全体村民利益出发，推荐奉公守法、品行良好、公道正派、热心公益、具有一定文化水平和工作能力的村民为候选人。候选人的名额应当多于应选名额。村民选举委员会应当组织候选人与村民见面，由候选人介绍履行职责的设想，回答村民提出的问题。

选举村民委员会，有登记参加选举的村民过半数投票，选举有效;候选人获得参加投票的村民过半数的选票,始得当选。当选人数不足应选名额的,不足的名额另行选举。另行选举的,第一次投票未当选的人员得票多的为候选人,候选人以得票多的当选,但是所得票数不得少于已投选票总数的三分之一。

选举实行无记名投票、公开计票的方法,选举结果应当当场公布。选举时,应当设立秘密写票处。

登记参加选举的村民,选举期间外出不能参加投票的,可以书面委托本村有选举权的近亲属代为投票。村民选举委员会应当公布委托人和受委托人的名单。

具体选举办法由省、自治区、直辖市的人民代表大会常务委员会规定。

**第十六条** 本村五分之一以上有选举权的村民或者三分之一以上的村民代表联名,可以提出罢免村民委员会成员的要求,并说明要求罢免的理由。被提出罢免的村民委员会成员有权提出申辩意见。

罢免村民委员会成员,须有登记参加选举的村民过半数投票,并须经投票的村民过半数通过。

**第十七条** 以暴力、威胁、欺骗、贿赂、伪造选票、虚报选举票数等不正当手段当选村民委员会成员的,当选无效。

对以暴力、威胁、欺骗、贿赂、伪造选票、虚报选举票数等不正当手段,妨害村民行使选举权、被选举权,破坏村民委员会选举的行为,村民有权向乡、民族乡、镇的人民代表大会和人民政府或者县级人民代表大会常务委员会和人民政府及其有关主管部门举报,由乡级或者县级人民政府负责调查并依法处理。

**第十八条** 村民委员会成员丧失行为能力或者被判处刑罚的,其职务自行终止。

**第十九条** 村民委员会成员出缺,可以由村民会议或者村民代表会议进行补选。补选程序参照本法第十五条的规定办理。补选的村民委员会成员的任期到本届村民委员会任期届满时止。

**第二十条** 村民委员会应当自新一届村民委员会产生之日起十

日内完成工作移交。工作移交由村民选举委员会主持,由乡、民族乡、镇的人民政府监督。

## 第四章　村民会议和村民代表会议

**第二十一条**　村民会议由本村十八周岁以上的村民组成。

村民会议由村民委员会召集。有十分之一以上的村民或者三分之一以上的村民代表提议,应当召集村民会议。召集村民会议,应当提前十天通知村民。

**第二十二条**　召开村民会议,应当有本村十八周岁以上村民的过半数,或者本村三分之二以上的户的代表参加,村民会议所作决定应当经到会人员的过半数通过。法律对召开村民会议及作出决定另有规定的,依照其规定。

召开村民会议,根据需要可以邀请驻本村的企业、事业单位和群众组织派代表列席。

**第二十三条**　村民会议审议村民委员会的年度工作报告,评议村民委员会成员的工作;有权撤销或者变更村民委员会不适当的决定;有权撤销或者变更村民代表会议不适当的决定。

村民会议可以授权村民代表会议审议村民委员会的年度工作报告,评议村民委员会成员的工作,撤销或者变更村民委员会不适当的决定。

**第二十四条**　涉及村民利益的下列事项,经村民会议讨论决定方可办理:

(一)本村享受误工补贴的人员及补贴标准;

(二)从村集体经济所得收益的使用;

(三)本村公益事业的兴办和筹资筹劳方案及建设承包方案;

(四)土地承包经营方案;

(五)村集体经济项目的立项、承包方案;

(六)宅基地的使用方案;

(七)征地补偿费的使用、分配方案;

（八）以借贷、租赁或者其他方式处分村集体财产；

（九）村民会议认为应当由村民会议讨论决定的涉及村民利益的其他事项。

村民会议可以授权村民代表会议讨论决定前款规定的事项。

法律对讨论决定村集体经济组织财产和成员权益的事项另有规定的，依照其规定。

**第二十五条**　人数较多或者居住分散的村，可以设立村民代表会议，讨论决定村民会议授权的事项。村民代表会议由村民委员会成员和村民代表组成，村民代表应当占村民代表会议组成人员的五分之四以上，妇女村民代表应当占村民代表会议组成人员的三分之一以上。

村民代表由村民按每五户至十五户推选一人，或者由各村民小组推选若干人。村民代表的任期与村民委员会的任期相同。村民代表可以连选连任。

村民代表应当向其推选户或者村民小组负责，接受村民监督。

**第二十六条**　村民代表会议由村民委员会召集。村民代表会议每季度召开一次。有五分之一以上的村民代表提议，应当召集村民代表会议。

村民代表会议有三分之二以上的组成人员参加方可召开，所作决定应当经到会人员的过半数同意。

**第二十七条**　村民会议可以制定和修改村民自治章程、村规民约，并报乡、民族乡、镇的人民政府备案。

村民自治章程、村规民约以及村民会议或者村民代表会议的决定不得与宪法、法律、法规和国家的政策相抵触，不得有侵犯村民的人身权利、民主权利和合法财产权利的内容。

村民自治章程、村规民约以及村民会议或者村民代表会议的决定违反前款规定的，由乡、民族乡、镇的人民政府责令改正。

**第二十八条**　召开村民小组会议，应当有本村民小组十八周岁以上的村民三分之二以上，或者本村民小组三分之二以上的户的代表参加,所作决定应当经到会人员的过半数同意。

村民小组组长由村民小组会议推选。村民小组组长任期与村民委员会的任期相同,可以连选连任。

属于村民小组的集体所有的土地、企业和其他财产的经营管理以及公益事项的办理,由村民小组会议依照有关法律的规定讨论决定,所作决定及实施情况应当及时向本村民小组的村民公布。

## 第五章 民主管理和民主监督

**第二十九条** 村民委员会应当实行少数服从多数的民主决策机制和公开透明的工作原则,建立健全各种工作制度。

**第三十条** 村民委员会实行村务公开制度。

村民委员会应当及时公布下列事项,接受村民的监督:

(一)本法第二十三条、第二十四条规定的由村民会议、村民代表会议讨论决定的事项及其实施情况;

(二)国家计划生育政策的落实方案;

(三)政府拨付和接受社会捐赠的救灾救助、补贴补助等资金、物资的管理使用情况;

(四)村民委员会协助人民政府开展工作的情况;

(五)涉及本村村民利益,村民普遍关心的其他事项。

前款规定事项中,一般事项至少每季度公布一次;集体财务往来较多的,财务收支情况应当每月公布一次;涉及村民利益的重大事项应当随时公布。

村民委员会应当保证所公布事项的真实性,并接受村民的查询。

**第三十一条** 村民委员会不及时公布应当公布的事项或者公布的事项不真实的,村民有权向乡、民族乡、镇的人民政府或者县级人民政府及其有关主管部门反映,有关人民政府或者主管部门应当负责调查核实,责令依法公布;经查证确有违法行为的,有关人员应当依法承担责任。

**第三十二条** 村应当建立村务监督委员会或者其他形式的村务

监督机构,负责村民民主理财,监督村务公开等制度的落实,其成员由村民会议或者村民代表会议在村民中推选产生,其中应有具备财会、管理知识的人员。村民委员会成员及其近亲属不得担任村务监督机构成员。村务监督机构成员向村民会议和村民代表会议负责,可以列席村民委员会会议。

**第三十三条** 村民委员会成员以及由村民或者村集体承担误工补贴的聘用人员,应当接受村民会议或者村民代表会议对其履行职责情况的民主评议。民主评议每年至少进行一次,由村务监督机构主持。

村民委员会成员连续两次被评议不称职的,其职务终止。

**第三十四条** 村民委员会和村务监督机构应当建立村务档案。村务档案包括:选举文件和选票,会议记录,土地发包方案和承包合同,经济合同,集体财务账目,集体资产登记文件,公益设施基本资料,基本建设资料,宅基地使用方案,征地补偿费使用及分配方案等。村务档案应当真实、准确、完整、规范。

**第三十五条** 村民委员会成员实行任期和离任经济责任审计,审计包括下列事项:

(一)本村财务收支情况;

(二)本村债权债务情况;

(三)政府拨付和接受社会捐赠的资金、物资管理使用情况;

(四)本村生产经营和建设项目的发包管理以及公益事业建设项目招标投标情况;

(五)本村资金管理使用以及本村集体资产、资源的承包、租赁、担保、出让情况,征地补偿费的使用、分配情况;

(六)本村五分之一以上的村民要求审计的其他事项。

村民委员会成员的任期和离任经济责任审计,由县级人民政府农业部门、财政部门或者乡、民族乡、镇的人民政府负责组织,审计结果应当公布,其中离任经济责任审计结果应当在下一届村民委员会选举之前公布。

**第三十六条** 村民委员会或者村民委员会成员作出的决定侵害村民合法权益的,受侵害的村民可以申请人民法院予以撤销,责任人依法承担法律责任。

村民委员会不依照法律、法规的规定履行法定义务的,由乡、民族乡、镇的人民政府责令改正。

乡、民族乡、镇的人民政府干预依法属于村民自治范围事项的,由上一级人民政府责令改正。

## 第六章 附 则

**第三十七条** 人民政府对村民委员会协助政府开展工作应当提供必要的条件;人民政府有关部门委托村民委员会开展工作需要经费的,由委托部门承担。

村民委员会办理本村公益事业所需的经费,由村民会议通过筹资筹劳解决;经费确有困难的,由地方人民政府给予适当支持。

**第三十八条** 驻在农村的机关、团体、部队、国有及国有控股企业、事业单位及其人员不参加村民委员会组织,但应当通过多种形式参与农村社区建设,并遵守有关村规民约。

村民委员会、村民会议或者村民代表会议讨论决定与前款规定的单位有关的事项,应当与其协商。

**第三十九条** 地方各级人民代表大会和县级以上地方各级人民代表大会常务委员会在本行政区域内保证本法的实施,保障村民依法行使自治权利。

**第四十条** 省、自治区、直辖市的人民代表大会常务委员会根据本法,结合本行政区域的实际情况,制定实施办法。

**第四十一条** 本法自公布之日起施行。

# 关于《中华人民共和国村民委员会组织法(修订草案)》的说明

——2009年12月22日在第十一届全国人民代表大会常务委员会第十二次会议上

民政部部长　李学举

委员长、各位副委员长、秘书长、各位委员：

我受国务院的委托,现对《中华人民共和国村民委员会组织法(修订草案)》作说明。

《中华人民共和国村民委员会组织法》(以下简称《村民委员会组织法》)自1998年11月公布施行以来,对推进以民主选举、民主决策、民主管理和民主监督为主要内容的村民自治发挥了重要作用,村民自治制度已经发展成为中国特色的社会主义民主政治的重要组成部分。随着农村经济社会的发展,特别是城乡户籍制度、农村税费制度改革的深化,在实行村民自治中也遇到一些新的情况和问题,有必要在总结实践经验的基础上,尽快修订《村民委员会组织法》。

民政部、国务院法制办在总结《村民委员会组织法》实施经验的基础上,多次征求中央有关部门、地方人民政府和专家、学者的意见,经过反复研究修改,形成了《中华人民共和国村民委员会组织法(修订草案)》(以下简称修订草案)。修订草案已经2009年12月2日国务院第九十次常务会议讨论通过。现就修订草案的主要内容说明如下：

## 一、进一步完善了村民委员会成员的选举和罢免程序

村民委员会选举是实行村民自治的重要环节。修订草案依据近几年村民委员会选举工作实践经验，对村民委员会选举作了以下三个方面的完善：

一是完善了村民选举委员会的组成和推选程序。修订草案规定：村民选举委员会由主任和委员组成，由村民会议、村民代表会议或者各村民小组会议推选产生。村民选举委员会成员被提名为村民委员会成员候选人的，退出村民选举委员会，缺额按照原推选结果依次递补，也可以另行推选。村民选举委员会成员不履行职责的，经村民会议、村民代表会议或者各村民小组会议讨论同意予以免职，缺额按照原推选结果依次递补，也可以另行推选。（第十二条）

二是增加了选民登记的内容。修订草案规定：村民委员会选举前，应当对下列参加选举的村民进行登记：（一）户籍在本村并且在本村居住的村民；（二）户籍在本村，登记参加选举或者选举期间不在本村居住，接到村民选举委员会通知表示参加选举或者书面委托他人投票的村民；（三）户籍不在本村，在本村居住一年以上，本人申请参加选举，并且经村民会议或者村民代表会议同意参加选举的公民。参加选举的村民名单应当在选举日的二十日前由村民选举委员会公布。对登记参加选举的村民名单有异议的，应当自名单公布之日起三日内向村民选举委员会申诉，村民选举委员会应当自收到申诉之日起三日内作出处理决定。（第十三条、第十四条）

三是完善了对村民委员会成员的罢免程序。修订草案规定：本村五分之一以上有选举权的村民或者三分之一以上的村民代表联名，可以提出罢免理由要求罢免村民委员会成员。被提出罢免的村民委员会成员有权提出申辩意见。表决罢免要求的村民会议由村民选举委员会主持。罢免村民委员会成员，有登记参加选举的村民过半数投票，表决有效；投票的村民过半数同意，始得罢免。罢免要求

通过后,村民选举委员会应当主持村民委员会成员缺额的补选。补选村民委员会成员,适用本法第十五条规定的程序。补选的村民委员会成员的任期到本届村民委员会任期届满时止。(第十六条)

## 二、进一步完善了民主议事制度

民主议事是村民自治中村民行使民主权利、维护自身利益的重要制度,对于制约村民委员会不作为或者滥作为发挥着重要作用。修订草案主要从以下三个方面完善了民主议事制度:

一是进一步充实了村民会议讨论决定的事项,从《村民委员会组织法》规定的八项扩展为十二项,并规定了村民会议可以授权村民代表会议讨论决定的事项。(第二十二条)

二是完善了村民代表会议的组成和议事程序。鉴于基层普遍反映村民会议难以召开,为保证制度效能,使村民能够经常行使自己的民主权利,修订草案规定:人数较多或者居住分散的村,可以设立村民代表会议,讨论决定村民会议授权的事项。村民代表会议由村民委员会成员和村民代表组成,村民代表应当占村民代表会议组成人员的三分之二以上,妇女村民代表应当占村民代表会议组成人员的三分之一以上。村民代表由村民按每五户至十五户推选一人,或者由各村民小组推选若干人。村民代表的任期与村民委员会的任期相同。村民代表可以连选连任。村民代表应当向其推选户或者村民小组负责,接受村民监督。(第二十三条)村民代表会议由村民委员会召集。村民代表会议每季度召开一次。有五分之一以上的村民代表提议,应当召集村民代表会议。村民代表会议有三分之二以上的组成人员参加方可召开,所作决定应当经到会人员的过半数同意。(第二十四条)

三是增加了村民小组会议制度。为了切实保障村民依法办理自己的事情,保障其利益不受侵害,修订草案增加了村民小组会议制度,并规定:属于村民小组的集体所有的土地、企业和其他财产的经营管理以及公益事项的办理,由村民小组会议依照有关法律的规定

讨论决定,所作决定及实施情况应当及时向本村民小组的村民公布。(第二十六条)

### 三、进一步完善了民主管理和民主监督制度

依据近年来各地在村级民主管理和民主监督方面的成功经验,修订草案从以下四个方面完善了民主管理和民主监督制度:

一是增加了村务监督机构。修订草案规定:村应当建立村务监督机构,负责村民民主理财和村务公开等制度的落实,其成员应当具备财会、管理知识,并由村民选举产生。村民委员会成员及其近亲属不得担任村务监督机构成员。选举村务监督机构成员适用本法第十五条规定的程序,罢免村务监督机构成员适用本法第十六条规定的程序。村务监督机构成员列席村民委员会会议,向村民会议和村民代表会议负责并报告工作。(第二十九条)

二是完善了民主评议的内容。修订草案规定:村民委员会成员、村务监督机构成员以及由村民或者村集体承担误工补贴的聘用人员应当接受村民会议或者村民代表会议的民主评议。民主评议每年进行一次。村民委员会成员、村务监督机构成员连续两年被评议不称职的,应当主动辞职;拒不辞职的,应当启动罢免程序。(第三十一条)

三是增加了村务档案制度。修订草案规定:村民委员会和村务监督机构应当建立村务档案。村务档案包括:选举文件和选票,会议记录,土地发包方案和承包合同,经济合同,集体财务账目,集体资产登记文件,基本建设资料,宅基地使用方案等。村务档案应当真实、准确、完整、规范。(第三十二条)

四是完善了村民委员会成员任期和离任审计制度,并明确了任期和离任审计包括的事项。(第三十三条)

此外,修订草案还对加强基层党组织对村民自治的领导、村民委员会职责、村民委员会开展工作和办理村公益事业的经费保障等作了完善。(第四条、第八条、第三十五条)

### 四、修订草案的框架结构

现行《村民委员会组织法》共三十条,没有分章。修订草案在总结地方立法经验的基础上,以民主选举、民主决策、民主管理和民主监督为顺序,将修订草案的内容分为“总则”、“村民委员会的组成和职责”、“村民委员会的选举”、“村民会议和村民代表会议”、“民主管理和民主监督”及“附则”六章。这样使村民自治各个环节的制度设计更加一目了然。

《中华人民共和国村民委员会组织法(修订草案)》和以上说明是否妥当,请审议。

# 全国人民代表大会法律委员会关于《中华人民共和国村民委员会组织法（修订草案）》修改情况的汇报

全国人民代表大会常务委员会：

常委会第十二次会议对村民委员会组织法（修订草案）进行了初次审议。会后，法制工作委员会将修订草案印发各省（区、市）、中央有关部门和部分法学研究机构征求意见。中国人大网站全文公布修订草案，向社会征求意见。法律委员会、内务司法委员会、法制工作委员会联合召开座谈会，听取中央有关部门的意见，并赴北京、河北、辽宁、陕西、广东等地深入县、乡、村进行调研，听取地方有关方面的意见。6 月 3 日，法律委员会召开会议，根据常委会组成人员的审议意见和各方面的意见，对修订草案进行了逐条审议。内务司法委员会、国务院法制办和民政部的有关负责同志列席了会议。6 月 12 日，法律委员会召开会议，再次进行了审议。现就主要问题修改情况汇报如下：

**一、**修订草案第十五条对村民委员会成员的选举作了规定。一些常委委员、部门和地方提出，为做好提名候选人的引导工作，应当对村民委员会组成人员候选人条件提出适当要求。法律委员会经同内务司法委员会、国务院法制办、民政部研究，建议在第一款中增加规定："村民提名候选人，应当从全体村民利益出发，推荐奉公守法、品行良好、公道正派、热心公益的村民为候选人"。（修订草稿二次审议稿第十五条第一款）

**二、**一些常委委员、部门和地方提出，针对实践中委托投票出现的问题，为保证受托人根据委托人的意愿进行投票，应当对受托人的范围加以限定。法律委员会经同内务司法委员会、国务院法制办、民政部研究，建议在第十五条增加一款，作为第四款，规定："登记参加选举的村民，选举期间外出不能参加投票的，可以书面委托同一家庭户口内其他成员代为投票。"（修订草稿二次审议稿第十五条第四款）

**三、**修订草案第十六条第三款规定，因罢免村民委员会成员出现缺额需要补选的，按照第十五条规定的程序另行选举。一些常委委员提出，补选是个别村民委员会成员出缺后进行的选举，应当从我国农村的实际出发，简化出缺补选的程序。法律委员会经同内务司法委员会、国务院法制办、民政部研究，赞成上述意见，建议将第十六条第三款修改为一条，作为第十九条，规定："村民委员会成员出缺，可以由村民会议或者村民代表会议进行补选，由村民选举委员会主持。补选程序参照本法第十五条的规定办理。补选的村民委员会成员的任期到本届村民委员会任期届满时止。"（修订草稿二次审议稿第十九条）

**四、**修订草案第十七条第二款规定，对破坏村民委员会选举的行为，村民有权向县级人大常委会和人民政府举报，由县级人民政府作出认定，并责成有关机关依法处理。中纪委、监察部等部门及一些地方提出，应当拓宽接受村民举报的渠道，进一步明确有关机关对破坏村民委员会选举行为调查处理的职责。法律委员会经同内务司法委员会、国务院法制办、民政部研究，建议将上述有关规定修改为，"村民有权向乡、民族乡、镇的人民代表大会和人民政府或者县级人民代表大会常务委员会和人民政府及其有关主管部门举报，由乡级或者县级人民政府负责调查并依法处理。"（修订草稿二次审议稿第十七条第二款）

**五、**修订草案第二十五条对村民自治章程、村规民约以及村民会议或者村民代表会议讨论决定的事项作了规定。一些常委委员、部门和地方提出,一些地方的村民自治章程、村规民约以及村民会议或者村民代表会议讨论决定的事项违反法律、法规,侵害村民利益的情况,应当加强乡镇政府对村规民约的指导监督。法律委员会经同内务司法委员会、国务院法制办、民政部研究,建议在本条增加一款,作为第三款,规定:"村民自治章程、村规民约以及村民会议或者村民代表会议讨论决定的事项违反前款规定的,由乡、民族乡、镇的人民政府责令改正。"(修订草稿二次审议稿第二十六条第三款)

**六**、修订草案第三十一条第二款对村民委员会成员被评议不称职的处理作了规定。一些常委委员、部门、地方和公众提出,应当进一步畅通民主评议不称职的村民委员会成员的退出机制。法律委员会经同内务司法委员会、国务院法制办、民政部研究,建议将该款规定中村民委员会成员连续两次被评议不称职的,"应当主动辞职;拒不辞职的,应当启动罢免程序"的规定,修改为"其职务终止"。(修订草稿二次审议稿第三十二条第二款)

这里还有一个问题需要汇报,即村民委员会和村集体经济组织之间的关系问题。修订草案规定,涉及村民利益的重大事项如土地承包经营方案、宅基地使用方案等,应当经村民会议讨论决定方可办理。农业部提出,村民委员会、村集体经济组织是两个不同性质的组织,属于土地承包经营方案、宅基地使用方案等事务,应当由村集体经济组织成员讨论决定。据农业部介绍,全国有约 60% 的行政村的村民委员会和村集体经济组织是合一的,有近 40% 的行政村另有村集体经济组织。法律委员会经研究认为,这个问题涉及的情况比较复杂,各地做法也有差异,拟在进一步调研的基础上提出意见。

另外,从草案的部分内容修改看,对村民委员会组织法的修改,是采取修订形式还是提出修正案由常委会作出修改决定,拟根据审议修改情况统筹考虑。

此外,根据有些常委委员的意见,还对修订草案作了一些文字修改。

修订草稿二次审议稿已按上述意见作了修改,法律委员会建议提请常委会第十五次会议继续审议。

修订草稿二次审议稿和以上汇报是否妥当,请审议。

全国人民代表大会法律委员会

2010 年 6 月 22 日

# 全国人民代表大会法律委员会关于《中华人民共和国村民委员会组织法（修订草案）》审议结果的报告

全国人民代表大会常务委员会：

常委会第十五次会议对村民委员会组织法（修订草案二次审议稿）进行了审议。会后，法律委员会、法制工作委员会先后召开了村民人大代表座谈会、有关专家座谈会，听取来自十四个省（区、市）农村基层的人大代表和有关专家的意见。法律委员会和法制工作委员会到山东就修订草案中几个重点问题进行调研，听取地方的意见。法律委员会于9月29日召开会议，根据常委会组成人员的审议意见和各方面的意见，对修订草案进行了审议。内务司法委员会和国务院法制办、民政部的有关负责同志列席了会议。10月15日，法律委员会召开会议，再次进行了审议。法律委员会认为，修订草案总体上是可行的，经过常委会两次审议修改，已经比较成熟。同时，提出以下主要修改意见：

一、修订草案二次审议稿第一条规定了本法的立法目的。有些常委委员提出，立法目的还应体现维护村民的合法权益。法律委员会经同内务司法委员会、国务院法制办、民政部研究，赞成上述意见，建议在第一条中增加“维护村民的合法权益”的内容。（修订草案三次审议稿第一条）

二、修订草案二次审议稿第十四条第二款规定，对登记参加选举的村民名单有异议的，应当自名单公布之日起三日内向村民选举委员会申诉。有些常委委员提出，对登记参加选举的村民名单提出异议，三日的申诉期限较短，建议适当延长。法律委员会经同内务司法委员会、国务院法制办、民政部研究，赞成上述意见，建议将申诉期限由"自名单公布之日起三日内"修改为"自名单公布之日起五日内"。（修订草案三次审议稿第十四条第二款）

**三、**修订草案二次审议稿第十五条第一款对村民委员会成员候选人条件提出了要求。有些常委委员、代表和地方提出，按照村民委员会成员胜任工作的需要，除对候选人要有"德"的要求外，还应当在"才"的方面有所要求。法律委员会经同内务司法委员会、国务院法制办、民政部研究，赞成上述意见，建议在第十五条第一款对村民委员会成员候选人要求的规定中增加"具有一定文化水平和工作能力"的内容。（修订草案三次审议稿第十五条第一款）

**四、**修订草案二次审议稿第十五条第四款对委托投票作了规定。有些常委会组成人员、代表和地方提出，目前不少地方农村的情况是，户多人口少，即户数增多，同一户口内家庭成员少，加上外出打工等因素，如将委托投票的范围限定在同一家庭户口内其他成员，不好操作，建议适当予以放宽，同时对受委托人应规定限制条件。法律委员会经同内务司法委员会、国务院法制办、民政部研究，赞成上述意见，建议将第十五条第四款修改为："登记参加选举的村民，选举期间外出不能参加投票的，可以书面委托本村有选举权的近亲属代为投票。"（修订草案三次审议稿第十五条第四款）

**五、**修订草案二次审议稿第十六条规定，表决对村民委员会成员罢免要求的村民会议，由村民选举委员会主持。有些常委委员和地方提出，村民选举委员会不是常设组织，难以受理和主持对村民委员会成员的罢免，各地情况不同，实践中也有多种做法，建议对此再作研究。法律委员会经同内务司法委员会、国务院法制办、民政部研究认为，上述意见有道理，对罢免村民委员会成员的程序事项，本法不作具体规定为宜，可由各地根据具体情况在实施办法中予以明确。建议删去第十六条第二款中"表决罢免要求的村民会议由村民选举

委员会主持”的规定。（修订草案三次审议稿第十六条第二款）

六、修订草案二次审议稿第二十三条第三款对村民会议讨论决定涉及集体经济组织财产和成员权益事项的办理程序作了特别规定。有些常委委员、部门和地方提出，涉及集体经济财产及其权益的事项，物权法、农村土地承包法和土地管理法等法律，都规定了相应的要求和程序，修订草案应当与这些法律的规定作好衔接。法律委员会、法制工作委员会就这个问题作了进一步调研，认为这里主要涉及村民委员会与村集体经济组织的关系，特别是要考虑到现实中一些地方村集体经济组织与村民委员会分设的情况。法律委员会经同内务司法委员会、国务院法制办、民政部研究，建议将第二十三条第三款修改为：“本村集体经济组织与村民委员会分设的，法律对讨论决定集体经济组织财产和成员权益的事项另有规定的，依照其规定。”（修订草案三次审议稿第二十四条第三款）

七、修订草案二次审议稿第二十四条第一款规定，村民代表应当占村民代表会议组成人员的三分之二以上。有的地方提出，村民委员会成员占村民代表会议组成人员的比例过高，不利于发挥村民代表的作用，建议提高村民代表在村民代表会议中的比例。法律委员会经同内务司法委员会、国务院法制办、民政部研究，赞成上述意见，建议将第二十四条第一款中村民代表应当占村民代表会议组成人员的“三分之二以上”修改为“五分之四以上”。（修订草案三次审议稿第二十五条第一款）

八、修订草案二次审议稿第三十一条规定，村应当建立村务监督机构。有些常委委员和地方提出，实践中部分地方已经制定地方性法规，在农村建立了不同形式的村务监督机构，有的称村务监督委员会，有的称村务监督小组、村民理财小组等。法律委员会经同内务司法委员会、国务院法制办、民政部研究认为，为了进一步强化村民群众监督，规范村务监督机构的设立，建议将第三十一条中“村应当建立村务监督机构”修改为“村应当建立村务监督委员会或者其他形式的监督机构”。（修订草案三次审议稿第三十二条）

**九、**修订草案二次审议稿第三十四条第一款规定了对村民委员会成员的审计事项。有些常委会列席人员和地方提出，征地补偿费的使用、分配情况也应纳入审计范围。法律委员会经同内务司法委员会、国务院法制办、民政部、农业部研究，赞成上述意见，建议在第三十四条第一款第五项中增加“征地补偿费的使用、分配情况”的内容。（修订草案三次审议稿第三十五条第一款）

还有一个问题需要说明。目前，一些地方在城市化过程中，将乡镇改为街道，撤销村民委员会，建立居民委员会。实际情况是，不少撤村后改称居民委员会的，其居民仍从事农业生产，仍承包原有的土地，集体经济的性质与形态基本未变。需要明确，对于这类过渡阶段的新建居民委员会，在一定时期内仍应适用村民委员会组织法和其他相关法律的规定。

此外，还对修订草案二次审议稿作了一些文字修改。

修订草案三次审议稿已按上述意见作了修改，法律委员会建议本次常委会会议审议通过。

修订草案三次审议稿和以上报告是否妥当，请审议。

全国人民代表大会法律委员会

2010 年 10 月 25 日

# 全国人民代表大会法律委员会关于《中华人民共和国村民委员会组织法（修订草案三次审议稿）》修改意见的报告

全国人民代表大会常务委员会：

本次常委会会议于10月26日上午对村民委员会组织法（修订草案三次审议稿）进行了分组审议。普遍认为，修订草案经过三次审议，已经比较成熟，建议进一步修改后，提请本次会议表决通过。同时，有些常委会组成人员还提出了一些修改意见。法律委员会于10月26日下午召开会议，逐条研究了常委会组成人员的审议意见，对修订草案进行了审议。内务司法委员会、国务院法制办公室、民政部的有关负责同志列席了会议。法律委员会认为，修订草案是可行的，同时提出以下主要修改意见：

一、修订草案第十五条第四款对委托投票作了规定。有些常委委员提出，为了保证委托投票能够反映委托人的真实意愿，防止滥用，应当提高委托投票的透明度。法律委员会经同内务司法委员会、国务院法制办公室、民政部研究，赞成上述意见，建议在这一条第四款中增加规定“村民选举委员会应当公布委托人和受委托人的名单”。（建议表决稿第十五条第四款）

二、修订草案第三十条第二款对村务公开的事项作了规定。有的常委委员提出，村务公开的事项应当与村民会议、村民代表会议讨论决定事项和审计事项相衔接。法律委员会经同内务司法委员会、国务院法制办公室、民政部研究，建议将这一条第二款第一项修改为:“本法第二十三条、第二十四条规定的由村民会议、村民代表会议讨论决定的事项及其实施情况;”将第三项修改为:“政府拨付和接受社会捐赠的救灾救助、补贴补助等资金、物资的管理使用情况”。(建议表决稿第三十条第二款)

三、修订草案第三十四条对村务档案作了规定。有的常委会组成人员提出,在推进农村精神文明建设中建立的公益性设施等,也应当建立档案,加强维护和管理。法律委员会经同内务司法委员会、国务院法制办公室、民政部研究,赞成上述意见,建议在这一条中增加“公益设施基本资料”。(建议表决稿第三十四条)

此外,根据常委会组成人员的审议意见,还对修订草案作了一些文字修改。

修订草案建议表决稿已按上述意见作了修改,法律委员会建议本次常委会会议通过。

修订草案建议表决稿和以上报告是否妥当,请审议。

全国人民代表大会法律委员会

2010 年 10 月 28 日

## 附录二：

# 《中华人民共和国村民委员会组织法》修订前后对照表

（条文中的黑体部分是对原法条文所做的修改或者增加内容）

| 修订前 | 修订后 |
| --- | --- |
| | **第一章　总　　则** |
| **第一条**　为了保障农村村民实行自治，由村民群众依法办理自己的事情，发展农村基层民主，促进农村社会主义物质文明和精神文明建设，根据宪法，制定本法。 | **第一条**　为了保障农村村民实行自治，由村民依法办理自己的事情，发展农村基层民主，**维护村民的合法权益**，促进社会主义**新农村**建设，根据宪法，制定本法。 |
| **第二条**　村民委员会是村民自我管理、自我教育、自我服务的基层群众性自治组织，实行民主选举、民主决策、民主管理、民主监督。<br>村民委员会办理本村的公共事务和公益事业，调解民间纠纷，协助维护社会治安，向人民政府反映村民的意见、要求和提出建议。<br>**第十八条**　村民委员会向村民会议负责并报告工作。村民会议每年审议村民委员会的工作报告，并评议村民委员会成员的工作。（第一款） | **第二条**　村民委员会是村民自我管理、自我教育、自我服务的基层群众性自治组织，实行民主选举、民主决策、民主管理、民主监督。<br>村民委员会办理本村的公共事务和公益事业，调解民间纠纷，协助维护社会治安，向人民政府反映村民的意见、要求和提出建议。<br>村民委员会向村民会议、**村民代表会议**负责并报告工作。 |

续表

<table>
<tr><th>修订前</th><th>修订后</th></tr>
<tr><td>第八条　村民委员会根据村民居住状况、人口多少，按照便于群众自治的原则设立。<br>村民委员会的设立、撤销、范围调整，由乡、民族乡、镇的人民政府提出，经村民会议讨论同意后，报县级人民政府批准。</td><td rowspan="2">第三条　村民委员会根据村民居住状况、人口多少，按照便于群众自治，有利于经济发展和社会管理的原则设立。<br>村民委员会的设立、撤销、范围调整，由乡、民族乡、镇的人民政府提出，经村民会议讨论同意，报县级人民政府批准。<br>村民委员会可以根据村民居住状况、集体土地所有权关系等分设若干村民小组。</td></tr>
<tr><td>第十条　村民委员会可以按照村民居住状况分设若干村民小组，小组长由村民小组会议推选。</td></tr>
<tr><td>第三条　中国共产党在农村的基层组织，按照中国共产党章程进行工作，发挥领导核心作用；依照宪法和法律，支持和保障村民开展自治活动、直接行使民主权利。</td><td>第四条　中国共产党在农村的基层组织，按照中国共产党章程进行工作，发挥领导核心作用，领导和支持村民委员会行使职权；依照宪法和法律，支持和保障村民开展自治活动、直接行使民主权利。</td></tr>
<tr><td>第四条　乡、民族乡、镇的人民政府对村民委员会的工作给予指导、支持和帮助，但是不得干预依法属于村民自治范围内的事项。<br>村民委员会协助乡、民族乡、镇的人民政府开展工作。</td><td>第五条　乡、民族乡、镇的人民政府对村民委员会的工作给予指导、支持和帮助，但是不得干预依法属于村民自治范围内的事项。<br>村民委员会协助乡、民族乡、镇的人民政府开展工作。</td></tr>
<tr><td></td><td>第二章　村民委员会的组成和职责</td></tr>
<tr><td>第九条　村民委员会由主任、副主任和委员共三至七人组成。<br>村民委员会成员中，妇女应当有适当的名额，多民族村民居住的村应当有人数较少的民族的成员。<br>村民委员会成员不脱离生产，根据情况，可以给予适当补贴。</td><td>第六条　村民委员会由主任、副主任和委员共三至七人组成。<br>村民委员会成员中，应当有妇女成员，多民族村民居住的村应当有人数较少的民族的成员。<br>对村民委员会成员，根据工作情况，给予适当补贴。</td></tr>
</table>

续表

| 修订前 | 修订后 |
| --- | --- |
| **第二十五条**　村民委员会根据需要设人民调解、治安保卫、公共卫生等委员会。村民委员会成员可以兼任下属委员会的成员。人口少的村的村民委员会可以不设下属委员会，由村民委员会成员分工负责人民调解、治安保卫、公共卫生等工作。 | **第七条**　村民委员会根据需要设人民调解、治安保卫、公共卫生**与计划生育**等委员会。村民委员会成员可以兼任下属委员会的成员。人口少的村的村民委员会可以不设下属委员会，由村民委员会成员分工负责人民调解、治安保卫、公共卫生**与计划生育**等工作。 |
| **第五条**　村民委员会应当支持和组织村民依法发展各种形式的合作经济和其他经济，承担本村生产的服务和协调工作，促进农村生产建设和社会主义市场经济的发展。<br>村民委员会依照法律规定，管理本村属于村农民集体所有的土地和其他财产，教育村民合理利用自然资源，保护和改善生态环境。（第三款）<br>村民委员会应当尊重集体经济组织依法独立进行经济活动的自主权，维护以家庭承包经营为基础、统分结合的双层经营体制，保障集体经济组织和村民、承包经营户、联户或者合伙的合法的财产权和其他合法的权利和利益。（第二款） | **第八条**　村民委员会应当支持和组织村民依法发展各种形式的合作经济和其他经济，承担本村生产的服务和协调工作，促进农村生产建设和经济发展。<br>村民委员会依照法律规定，管理本村属于村农民集体所有的土地和其他财产，**引导**村民合理利用自然资源，保护和改善生态环境。<br>村民委员会应当尊重**并支持**集体经济组织依法独立进行经济活动的自主权，维护以家庭承包经营为基础、统分结合的双层经营体制，保障集体经济组织和村民、承包经营户、联户或者合伙的合法财产权和其他合法**权益**。 |
| **第六条**　村民委员会应当宣传宪法、法律、法规和国家的政策，教育和推动村民履行法律规定的义务，爱护公共财产，维护村民的合法的权利和利益，发展文化教育，普及科技知识，促进村和村之间的团结、互助，开展多种形式的社会主义精神文明建设活动。 | **第九条**　村民委员会应当宣传宪法、法律、法规和国家的政策，教育和推动村民履行法律规定的义务、爱护公共财产，维护村民的合法**权益**，发展文化教育，普及科技知识，**促进男女平等，做好计划生育工作**，促进村**与**村之间的团结、互助，开展多种形式的社会主义精神文明建设活动。 |

续表

| 修订前 | 修订后 |
| --- | --- |
| **第七条** 多民族村民居住的村，村民委员会应当教育和引导村民加强民族团结、互相尊重、互相帮助。 | **村民委员会应当支持服务性、公益性、互助性社会组织依法开展活动，推动农村社区建设。**<br>多民族村民居住的村，村民委员会应当教育和引导**各民族**村民**增进**团结、互相尊重、互相帮助。 |
| **第二十三条** 村民委员会及其成员应当遵守宪法、法律、法规和国家的政策，办事公道，廉洁奉公，热心为村民服务。 | **第十条** 村民委员会及其成员应当遵守宪法、法律、法规和国家的政策，**遵守并组织实施村民自治章程、村规民约，执行村民会议、村民代表会议的决定、决议**，办事公道，廉洁奉公，热心为村民服务**，接受村民监督**。 |
| | **第三章 村民委员会的选举** |
| **第十一条** 村民委员会主任、副主任和委员，由村民直接选举产生。任何组织或者个人不得指定、委派或者撤换村民委员会成员。<br>村民委员会每届任期三年，届满应当及时举行换届选举。村民委员会成员可以连选连任。 | **第十一条** 村民委员会主任、副主任和委员，由村民直接选举产生。任何组织或者个人不得指定、委派或者撤换村民委员会成员。<br>村民委员会每届任期三年，届满应当及时举行换届选举。村民委员会成员可以连选连任。 |
| **第十三条** 村民委员会的选举，由村民选举委员会主持。村民选举委员会成员由村民会议或者各村民小组推选产生。 | **第十二条** 村民委员会的选举，由村民选举委员会主持。<br>村民选举委员会**由主任和委员组成**，由村民会议、**村民代表会议**或者各村民小组**会议**推选产生。<br>**村民选举委员会成员被提名为村民委员会成员候选人，应当退出村民选举委员会。**<br>**村民选举委员会成员退出村民选举委员会或者因其他原因出缺的，按照原推选结果依次递补，也可以另行推选。** |

续表

| 修订前 | 修订后 |
| --- | --- |
| **第十二条**　年满十八周岁的村民，不分民族、种族、性别、职业、家庭出身、宗教信仰、教育程度、财产状况、居住期限，都有选举权和被选举权；但是，依照法律被剥夺政治权利的人除外。 | **第十三条**　年满十八周岁的村民，不分民族、种族、性别、职业、家庭出身、宗教信仰、教育程度、财产状况、居住期限，都有选举权和被选举权；但是，依照法律被剥夺政治权利的人除外。<br>**村民委员会选举前，应当对下列人员进行登记，列入参加选举的村民名单：**<br>**（一）户籍在本村并且在本村居住的村民；**<br>**（二）户籍在本村，不在本村居住，本人表示参加选举的村民；**<br>**（三）户籍不在本村，在本村居住一年以上，本人申请参加选举，并且经村民会议或者村民代表会议同意参加选举的公民。**<br>**已在户籍所在村或者居住村登记参加选举的村民，不得再参加其他地方村民委员会的选举。** |
| **第十二条**　有选举权和被选举权的村民名单，应当在选举日的二十日以前公布。（第二款） | **第十四条**　**登记参加选举**的村民名单应当在选举日的二十日前**由村民选举委员会**公布。<br>**对登记参加选举的村民名单有异议的，应当自名单公布之日起五日内向村民选举委员会申诉，村民选举委员会应当自收到申诉之日起三日内作出处理决定，并公布处理结果。** |
| **第十四条**　选举村民委员会，由本村有选举权的村民直接提名候选人。候选人的名额应当多于应选名额。 | **第十五条**　选举村民委员会，由**登记参加**选举的村民直接提名候选人。**村民提名候选人，应当从全体村民利益出发，推荐奉公守法、品行良好、公道正派、热心公益、具有一定文化水平和工作能力的村民为候选人。** |

续表

| 修订前 | 修订后 |
| --- | --- |
|  | 候选人的名额应当多于应选名额。**村民选举委员会应当组织候选人与村民见面，由候选人介绍履行职责的设想，回答村民提出的问题。** |
| 选举村民委员会，有选举权的村民的过半数投票，选举有效；候选人获得参加投票的村民的过半数的选票，始得当选。 | 选举村民委员会，有**登记参加选举**的村民过半数投票，选举有效；候选人获得参加投票的村民过半数的选票，始得当选。**当选人数不足应选名额的，不足的名额另行选举。另行选举的，第一次投票未当选的人员得票多的为候选人，候选人以得票多的当选，但是所得票数不得少于已投选票总数的三分之一。** |
| 选举实行无记名投票、公开计票的方法，选举结果应当当场公布。选举时，设立秘密写票处。 | 选举实行无记名投票、公开计票的方法，选举结果应当当场公布。选举时，**应当**设立秘密写票处。 |
|  | **登记参加选举的村民，选举期间外出不能参加投票的，可以书面委托本村有选举权的近亲属代为投票。村民选举委员会应当公布委托人和受委托人的名单。** |
| 具体选举办法由省、自治区、直辖市的人民代表大会常务委员会规定。 | 具体选举办法由省、自治区、直辖市的人民代表大会常务委员会规定。 |
| **第十六条**　本村五分之一以上有选举权的村民联名，可以要求罢免村民委员会成员。罢免要求应当提出罢免理由。被提出罢免的村民委员会成员有权提出申辩意见。村民委员会应当及时召开村民会议，投票表决罢免要求。罢免村民委员会成员须经有选举权的村民过半数通过。 | **第十六条**　本村五分之一以上有选举权的村民**或者三分之一以上的村民代表**联名，可以**提出**罢免村民委员会成员**的要求，并说明**要求罢免的理由。被提出罢免的村民委员会成员有权提出申辩意见。<br>罢免村民委员会成员，须有**登记参加**选举的村民过半数**投票，并须经投票的村民过半数**通过。 |

续表

| 修订前 | 修订后 |
| --- | --- |
| **第十五条** 以威胁、贿赂、伪造选票等不正当手段，妨害村民行使选举权、被选举权，破坏村民委员会选举的，村民有权向乡、民族乡、镇的人民代表大会和人民政府或者县级人民代表大会常务委员会和人民政府及其有关主管部门举报，有关机关应当负责调查并依法处理。以威胁、贿赂、伪造选票等不正当手段当选的，其当选无效。 | **第十七条** 以**暴力**、威胁、**欺骗**、贿赂、伪造选票、**虚报选举票数**等不正当手段当选**村民委员会成员**的，当选无效。<br>**对**以**暴力**、威胁、**欺骗**、贿赂、伪造选票、**虚报选举票数**等不正当手段，妨害村民行使选举权、被选举权，破坏村民委员会选举的**行为**，村民有权向乡、民族乡、镇的人民代表大会和人民政府或者县级人民代表大会常务委员会和人民政府及其有关主管部门举报，**由乡级或者县级人民政府**负责调查并依法处理。 |
| | **第十八条 村民委员会成员丧失行为能力或者被判处刑罚的，其职务自行终止。** |
| | **第十九条 村民委员会成员出缺，可以由村民会议或者村民代表会议进行补选。补选程序参照本法第十五条的规定办理。补选的村民委员会成员的任期到本届村民委员会任期届满时止。** |
| | **第二十条 村民委员会应当自新一届村民委员会产生之日起十日内完成工作移交。工作移交由村民选举委员会主持，由乡、民族乡、镇的人民政府监督。** |
| | **第四章 村民会议和村民代表会议** |
| **第十七条** 村民会议由本村十八周岁以上的村民组成。（第一款） | **第二十一条** 村民会议由本村十八周岁以上的村民组成。 |

续表

| 修订前 | 修订后 |
| --- | --- |
| **第十八条** 村民会议由村民委员会召集。有十分之一以上的村民提议,应当召集村民会议。(第二款) | 村民会议由村民委员会召集。有十分之一以上的村民**或者三分之一以上的村民代表**提议,应当召集村民会议。**召集村民会议,应当提前十天通知村民。** |
| **第十七条** 召开村民会议,应当有本村十八周岁以上村民的过半数参加,或者有本村三分之二以上的户的代表参加,所作决定应当经到会人员的过半数通过。必要的时候,可以邀请驻在本村的企业、事业单位和群众组织派代表列席村民会议。(第二款) | **第二十二条** 召开村民会议,应当有本村十八周岁以上村民的过半数,或者本村三分之二以上的户的代表参加,**村民会议**所作决定应当经到会人员的过半数通过。**法律对召开村民会议及作出决定另有规定的,依照其规定。**<br>**召开村民会议,根据需要**可以邀请驻本村的企业、事业单位和群众组织派代表列席。 |
| **第十八条** 村民委员会向村民会议负责并报告工作。村民会议每年审议村民委员会的工作报告,并评议村民委员会成员的工作。(第一款) | **第二十三条** 村民会议审议村民委员会的**年度**工作报告,评议村民委员会成员的工作;**有权撤销或者变更村民委员会不适当的决定;有权撤销或者变更村民代表会议不适当的决定。**<br>**村民会议可以授权村民代表会议审议村民委员会的年度工作报告,评议村民委员会成员的工作,撤销或者变更村民委员会不适当的决定。** |
| **第十九条** 涉及村民利益的下列事项,村民委员会必须提请村民会议讨论决定,方可办理:<br>(一)乡统筹的收缴方法,村提留的收缴及使用;<br>(二)本村享受误工补贴的人数及补贴标准; | **第二十四条** 涉及村民利益的下列事项,**经**村民会议讨论决定方可办理:<br>(一)本村享受误工补贴的人员及补贴标准; |

续表

| 修订前 | 修订后 |
| --- | --- |
| （三）从村集体经济所得收益的使用；<br>（四）村办学校、村建道路等村公益事业的经费筹集方案；<br>（六）村民的承包经营方案；<br>（五）村集体经济项目的立项、承包方案及村公益事业的建设承包方案；<br>（七）宅基地的使用方案；<br>（八）村民会议认为应当由村民会议讨论决定的涉及村民利益的其他事项。 | （二）从村集体经济所得收益的使用；<br>（三）**本**村公益事业的**兴办和筹资筹劳**方案**及建设承包方案**；<br>（四）**土地**承包经营方案；<br>（五）村集体经济项目的立项、承包方案；<br>（六）宅基地的使用方案；<br>**（七）征地补偿费的使用、分配方案；**<br>**（八）以借贷、租赁或者其他方式处分村集体财产；**<br>（九）村民会议认为应当由村民会议讨论决定的涉及村民利益的其他事项。<br>**村民会议可以授权村民代表会议讨论决定前款规定的事项。**<br>**法律对讨论决定村集体经济组织财产和成员权益的事项另有规定的，依照其规定。** |
| **第二十一条**　人数较多或者居住分散的村，可以推选产生村民代表，由村民委员会召集村民代表开会，讨论决定村民会议授权的事项。村民代表由村民按每五户至十五户推选一人，或者由各村民小组推选若干人。 | **第二十五条**　人数较多或者居住分散的村，可以**设立**村民代表**会议**，讨论决定村民会议授权的事项。**村民代表会议由村民委员会成员和村民代表组成，村民代表应当占村民代表会议组成人员的五分之四以上，妇女村民代表应当占村民代表会议组成人员的三分之一以上。**<br>村民代表由村民按每五户至十五户推选一人，或者由各村民小组推选若干人。**村民代表的任期与村民委员会的任期相同。村民代表可以连选连任。** |

续表

| 修订前 | 修订后 |
| --- | --- |
| | **村民代表应当向其推选户或者村民小组负责，接受村民监督。** |
| | **第二十六条　村民代表会议由村民委员会召集。村民代表会议每季度召开一次。有五分之一以上的村民代表提议，应当召集村民代表会议。**<br>**村民代表会议有三分之二以上的组成人员参加方可召开，所作决定应当经到会人员的过半数同意。** |
| **第二十条**　村民会议可以制定和修改村民自治章程、村规民约，并报乡、民族乡、镇的人民政府备案。<br>村民自治章程、村规民约以及村民会议或者村民代表讨论决定的事项不得与宪法、法律、法规和国家的政策相抵触，不得有侵犯村民的人身权利、民主权利和合法财产权利的内容。 | **第二十七条**　村民会议可以制定和修改村民自治章程、村规民约，并报乡、民族乡、镇的人民政府备案。<br>村民自治章程、村规民约以及村民会议或者村民代表会议**的**决定不得与宪法、法律、法规和国家的政策相抵触，不得有侵犯村民的人身权利、民主权利和合法财产权利的内容。<br>**村民自治章程、村规民约以及村民会议或者村民代表会议的决定违反前款规定的，由乡、民族乡、镇的人民政府责令改正。** |
| **第十条**　村民委员会可以按照村民居住状况分设若干村民小组，小组长由村民小组会议推选。 | **第二十八条　召开村民小组会议，应当有本村民小组十八周岁以上的村民三分之二以上，或者本村民小组三分之二以上的户的代表参加，所作决定应当经到会人员的过半数同意。**<br>村民小组组长由村民小组会议推选。**村民小组组长任期与村民委员会的任期相同，可以连选连任。**<br>**属于村民小组的集体所有的土地、企业和其他财产的经营管理以及公益事项的办理，由村民小组会议依** |

续表

| 修订前 | 修订后 |
| --- | --- |
| | **照有关法律的规定讨论决定，所作决定及实施情况应当及时向本村民小组的村民公布。** |
| | **第五章 民主管理和民主监督** |
| **第二十四条** 村民委员会决定问题，采取少数服从多数的原则。<br>村民委员会进行工作，应当坚持群众路线，充分发扬民主，认真听取不同意见，坚持说服教育，不得强迫命令，不得打击报复。 | **第二十九条** 村民委员会**应当实行**少数服从多数的**民主决策机制和公开透明的工作**原则，**建立健全各种工作制度**。 |
| **第二十二条** 村民委员会实行村务公开制度。<br>村民委员会应当及时公布下列事项，其中涉及财务的事项至少每六个月公布一次，接受村民的监督：<br>（一）本法第十九条规定的由村民会议讨论决定的事项及其实施情况；<br>（二）国家计划生育政策的落实方案；<br>（三）救灾救济款物的发放情况；<br>（四）水电费的收缴以及涉及本村村民利益、村民普遍关心的其他事项。 | **第三十条** 村民委员会实行村务公开制度。<br>村民委员会应当及时公布下列事项，接受村民的监督：<br>（一）本法**第二十三条、第二十四条**规定的由村民会议、**村民代表会议**讨论决定的事项及其实施情况；<br>（二）国家计划生育政策的落实方案；<br>（三）**政府拨付和接受社会捐赠的**救灾救助、**补贴补助等资金、物资的管理使用**情况；<br>**（四）村民委员会协助人民政府开展工作的情况；**<br>（五）涉及本村村民利益，村民普遍关心的其他事项。<br>**前款规定事项中，一般事项至少每季度公布一次；集体财务往来较多的，财务收支情况应当每月公布一次；涉及村民利益的重大事项应当随时公布。** |

续表

| 修订前 | 修订后 |
| --- | --- |
| 村民委员会应当保证公布内容的真实性，并接受村民的查询。 | 村民委员会应当保证**所**公布**事项**的真实性，并接受村民的查询。 |
| 村民委员会不及时公布应当公布的事项或者公布的事项不真实的，村民有权向乡、民族乡、镇人民政府或者县级人民政府及其有关主管部门反映，有关政府机关应当负责调查核实，责令公布；经查证确有违法行为的，有关人员应当依法承担责任。 | **第三十一条** 村民委员会不及时公布应当公布的事项或者公布的事项不真实的，村民有权向乡、民族乡、镇的人民政府或者县级人民政府及其有关主管部门反映，有关**人民**政府**或者主管部门**应当负责调查核实，责令**依法**公布；经查证确有违法行为的，有关人员应当依法承担责任。 |
| | **第三十二条** 村应当建立村务监督委员会或者其他形式的村务监督机构，负责村民民主理财，监督村务公开等制度的落实，其成员由村民会议或者村民代表会议在村民中推选产生，其中应有具备财会、管理知识的人员。村民委员会成员及其近亲属不得担任村务监督机构成员。村务监督机构成员向村民会议和村民代表会议负责，可以列席村民委员会会议。 |
| | **第三十三条** 村民委员会成员以及由村民或者村集体承担误工补贴的聘用人员，应当接受村民会议或者村民代表会议对其履行职责情况的民主评议。民主评议每年至少进行一次，由村务监督机构主持。<br>**村民委员会成员连续两次被评议不称职的，其职务终止。** |
| | **第三十四条** 村民委员会和村务监督机构应当建立村务档案。村务档案包括：选举文件和选票，会议记录，土地发包方案和承包合同，经济合同， |

续表

| 修订前 | 修订后 |
| --- | --- |
| | 集体财务账目，集体资产登记文件，公益设施基本资料，基本建设资料，宅基地使用方案，征地补偿费使用及分配方案等。村务档案应当真实、准确、完整、规范。 |
| | **第三十五条** 村民委员会成员实行任期和离任经济责任审计，审计包括下列事项：<br>**（一）本村财务收支情况；**<br>**（二）本村债权债务情况；**<br>**（三）政府拨付和接受社会捐赠的资金、物资管理使用情况；**<br>**（四）本村生产经营和建设项目的发包管理以及公益事业建设项目招标投标情况；**<br>**（五）本村资金管理使用以及本村集体资产、资源的承包、租赁、担保、出让情况，征地补偿费的使用、分配情况；**<br>**（六）本村五分之一以上的村民要求审计的其他事项。**<br>**村民委员会成员的任期和离任经济责任审计，由县级人民政府农业部门、财政部门或者乡、民族乡、镇的人民政府负责组织，审计结果应当公布，其中离任经济责任审计结果应当在下一届村民委员会选举之前公布。** |
| | **第三十六条 村民委员会或者村民委员会成员作出的决定侵害村民合法权益的，受侵害的村民可以申请人民法院予以撤销，责任人依法承担法律责任。** |

续表

| 修订前 | 修订后 |
| --- | --- |
| | **村民委员会不依照法律、法规的规定履行法定义务的，由乡、民族乡、镇的人民政府责令改正。**<br>**乡、民族乡、镇的人民政府干预依法属于村民自治范围事项的，由上一级人民政府责令改正。** |
| **第二十六条** 村民委员会应当协助有关部门，对被依法剥夺政治权利的村民进行教育、帮助和监督。 | |
| | **第六章 附 则** |
| | **第三十七条 人民政府对村民委员会协助政府开展工作应当提供必要的条件；人民政府有关部门委托村民委员会开展工作需要经费的，由委托部门承担。**<br>**村民委员会办理本村公益事业所需的经费，由村民会议通过筹资筹劳解决；经费确有困难的，由地方人民政府给予适当支持。** |
| **第二十七条** 驻在农村的机关、团体、部队、全民所有制企业、事业单位的人员不参加村民委员会组织，不属于村办的集体所有制单位的人员可以不参加村民委员会组织。但是，他们都应当遵守有关村规民约。所在地的村民委员会、村民会议或者村民代表讨论和处理同这些单位有关的问题，应当与他们协商解决。 | **第三十八条** 驻在农村的机关、团体、部队、**国有及国有控股**企业、事业单位**及其**人员不参加村民委员会组织，但应当**通过多种形式参与农村社区建设，并**遵守有关村规民约。<br>村民委员会、村民会议或者村民代表**会议**讨论**决定与前款规定的**单位有关的**事项**，应当与**其**协商。 |

续表

| 修订前 | 修订后 |
| --- | --- |
| **第二十八条** 地方各级人民代表大会和县级以上地方各级人民代表大会常务委员会在本行政区域内保证本法的实施，保障村民依法行使自治权利。 | **第三十九条** 地方各级人民代表大会和县级以上地方各级人民代表大会常务委员会在本行政区域内保证本法的实施，保障村民依法行使自治权利。 |
| **第二十九条** 省、自治区、直辖市的人民代表大会常务委员会可以根据本法，结合本行政区域的实际情况，制定实施办法。 | **第四十条** 省、自治区、直辖市的人民代表大会常务委员会根据本法，结合本行政区域的实际情况，制定实施办法。 |
| **第三十条** 本法自公布之日起施行。《中华人民共和国村民委员会组织法（试行）》同时废止。 | **第四十一条** 本法自公布之日起施行。 |